김현태

https://brunch.co.kr/@252e225a92d1430

꿈꿔왔던, 여행하고 글 쓰고 그림 그리는 제2의 인생을 살고 있습니다.

발 행 | 2024-04-23

저 자 | 김현태

펴낸이 | 한건희

펴낸곳 | 주식회사 부크크

출판사등록 | 2014.07.15(제2014-16호)

주 소 | 서울 금천구 가산디지털1로 119, A동 305호

전 화 | 1670 - 8316

이메일 | info@bookk.co.kr

ISBN | 979-11-410-8246-8

본 책은 브런치 POD 출판물입니다.

https://brunch.co.kr

www.bookk.co.kr

40일간 스페인 산티아고 순례길

김현태 지음

들어가는 말

스페인 산티아고 순례길 800km를 40일 동안 걸어서 완주했다. 집으로 돌아온 후, 순례 동안 매일 써서 올렸던 블로그 글을 바탕으로 그림을 그려 책으로 엮었다.

소심한 내 머리에서는 책을 출판해야 할 수십 가지 이유와 출판하지 말아야 할 수백 가지 이유가 부딪쳤다. 긴 고민 끝에 '내 책을 출판하고 싶어.'라는 마음속 작은 소리를 따르기로 했다.

몇 년 전부터 스페인 산티아고 순례길을 꿈꾸던 남편은, 딸이 경찰공무원이 되자마자 정년을 일 년 육 개월 남기고 퇴직했다.

"산티아고 순례길 같이 갑시다"

육 개월 후, 여행 좋아하는 나도 은퇴를 선언하고 남편과 함께 산티아고 순례(프랑스 길)에 올랐다.

산티아고 순례길을 제안하고 이끌었던 남편

순례 이후 이어서 할 여행에 관심이 더 컸던 나는 순례길을 후딱 걷고 신나게 여행할 생각이었다. 여행에 들떠 산티아고 순례길의 의미는커녕 순례에 필요한 정보도 별로 찾지 않았다. 그래도 매일 7km 정도 걷기는 꾸준히 했고, 쌌다가 풀기를 반복하며 메고 갈 배낭 무게를 내 몸무게 10%로 맞췄다.

출발 날짜는 다가왔고 우리는 배낭을 메고 힘차게 나섰지만, 인천공항에서 비행기 출발이 지연되는 바람에 프랑크푸르트 공항에서 비행기를 놓칠뻔했고 도착지인 파리 공항에 배낭이 도착하지 않았다. 첫날부터 아찔했고 진땀을 흘렸다.

순례 준비 중 의사소통이 부족했던 우리는 막상 순례길을 걷기 시작하자 생각이 달라 부딪쳤다. 게다가 나는 날씨를 잘못 판단하고 짐 줄이기만 급급해 따뜻한 옷을 안 가져가서 추위에 떨며 심한 감기로 고생했다.

곤두선 신경을 가라앉히려고 글을 썼고 매일 쓰다 보니 순례의 일부가 되었다. 새벽 6시 전후로 일어나 준비하고 걷기 시작해 7시간 정도 걷고 알베르게(기숙사)에 도착해 체크인, 짐 정리, 샤워, 빨래, 장보기와 식사 후 글을 써서 블로그에 올리는 생활을 반복했다. 매일 걷는 단순한 생활이지만 신기하게 글의 소재는 끊이지 않았다.

애초에 순례길을 꼭 완주할 마음도 없었고 힘들면 언제든 그만둘 생각이었다. 그런데 순례 초기 어려움이 지나자 차츰 마음이 평화로워졌다. 고요함, 파란 하늘, 끝없는 들판, 바람을 만났다. 가슴 시리고 눈물 날 만큼 아름다운 풍광이었다. 큰 울림이 일었고 감동이 차올랐다.

배려 넘치는 사람들의 도움을 받으며 잊고 있던 '따뜻한 인간애'도 느꼈다. 결혼해서 가정 꾸리고 직장 생활하며 숨 가쁘게 달려온 나를 돌아보았다. 어른이 된 후 처음으로 육체뿐 아니라 정신까지 온전하게 쉬는 '쉼'을 경험했다. 행복한 시간이었다.

내 인생에 주어진 선물 같은 산티아고 순례길의 감동을 여러 사람과 나누고 싶다. 팍팍한 하루를 살아내느라 애쓰는 이에게는 위로와 휴식, 스페인 산티아고 순례를 꿈꾸는 이에게는 용기가 되었으면 한다. 순례길을 여러 차례 걸었다는 순례자의 마음을 이제는 조금 알 것 같다. 몇 년 후 나도 배낭을 다시 싸고 있을지도 모르겠다.

산티아고 순례길에서 나와 함께 했던 배낭

차례

들어가는 말 · 4

산티아고 순례길이란 · 11

오래된 벗과 함께 · 14

경험자가 추천하는 준비물 유용한 팁 · 17

1부 위태로운 출발 · 22

인천 공항에서 파리 드골 공항(CDG)까지 (4월 5일 수) · 23

하루 늦게 온 배낭을 찾고 (4월 6일 목) · 27

파리에서 비아리츠, 다시 생장으로 (4월 7일 금) · 29

피레네산맥 넘기 (4월 8일 토) · 32

갈등 해결은 걸으면서 (4월 9일 일) · 35

공휴일 식당 영업을 오해하고 (4월 10일 월) · 39

쉬어 가기 - 첫 번째 충전 시간 · 43

팜플로나 여행 (4월 11일 화) · 44

2부 세찬 바람 · 48

순례길의 의미 (4월 12일 수) · 49

길들인 등산화와 발목 통증 (4월 13일 목) · 53

남편과 결별하고 싶었던 날 (4월 14일 금) · 58

그놈의 타파스가 뭐라고 (4월 15일 토) · 62

쉬어 가기 - 두 번째 충전 시간 · 66

달콤한 휴식과 화해 (4월 16일 일) · 67

빌바오 여행 후 다시 순례길로 (4월 17일 월) · 74

3부 새벽, 고요, 하늘, 바람 · 76

나이 좀 있는 우리 부부의 순례가 가능한 이유 (4월 18일 화) · 77

남편의 변화 (4월 19일 수) · 81

스페인은 포도주의 나라 (4월 20일 목) · 86

점점 투명해지는 나 (4월 21일 금) · 89

4부 역동적인 나날들 · 92

어둠 속 비를 맞으며 (4월 22일 토) · 93

물벼락으로 시작한 하루 (4월 23일 일) · 99

오늘 만난 웃음 천사 (4월 24일 월) · 103

여유로움을 배우며 (4월 25일 화) · 107

단체 순례객의 트렁크에서 튄 불똥 (4월 26일 수) · 111

5부 파란 하늘, 마음의 평화 · 116

끝없는 직선 길, 메세타 고원 (4월 27일 목) · 117

부서진 순례길 표지석 (4월 28일 금) · 120

내 인생 최고로 평화로운 시간 (4월 29일 토) · 124

여행자의 마음으로 레온을 향해 (4월 30일 일) ·127

쉬어 가기 – 세 번째 충전 시간 · 132

폭 망한 레온 여행 (5월 1일 월) · 133

6부 겸손한 적응 · 138

순례길의 의미 그리고 의기양양해진 남편 (5월 2일 화) · 139

아스트로가 식당에서 당한 사기 (5월 3일 수) · 144

환상적으로 아름다웠던 순례길 (5월 4일 목) · 150

잃었던 아이폰 충전 케이블 (5월 5일 금) · 154

매일 일어나는 새로운 해프닝 (5월 6일 토) · 159

7부 마음으로 하는 소통 · 164

순례길에서 알게 된 파스타 맛 (5월 7일 일) · 165

오래된 부부의 내공 (5월 8일 월) · 169

판초 비옷으로 어림없는 폭우 (5월 9일 화) ·173

구멍 나거나 잃어버린 옷들 (5월 10일 수) · 177

소통은 언어로 하는 게 아니야 (5월 11일 목) · 181

8부 최고의 선물 · 185

곡식 창고 '오레오' (5월 12일 금) · 186

산티아고 도착 하루 전, 무지개의 위로 (5월 13일 토) ·189

산티아고 데 콤포스텔라 도착한 날 (5월 14일 일) · 193

대성당 순례자를 위한 12시 미사 (5월 15일 월) ·197

끝맺는 말· 199

산티아고 순례길이란

예수의 열두 제자 가운데 한 사람인 야고보(산티아고)는 포교 활동하다 순교했다. 시간이 흐르고 9세기, 잊혔던 그의 무덤이 어느 목동에 의해 발견되었고 이후 수많은 순례자는 야고보 무덤이 발견된 산티아고 데 콤포스텔라까지 순례를 떠났다.

현재 산티아고 순례길은 유네스코 세계 유산에 등재되어 있다. 순례자들의 발자취를 따라, 세계 각국 다양한 사람들은 종교적 이유뿐 아니라 인생의 의미와 희망을 찾는 등 다양한 목적과 동기로 산티아고 순례길을 걷는다. 프랑스 생장에서 출발하는 프랑스 길은 기반 시설이 가장 잘 돼 있어 어느 길보다 많은 순례자가 찾고 있다.

순례자 여권에 모은 쎄요(도장)

산티아고 순례길

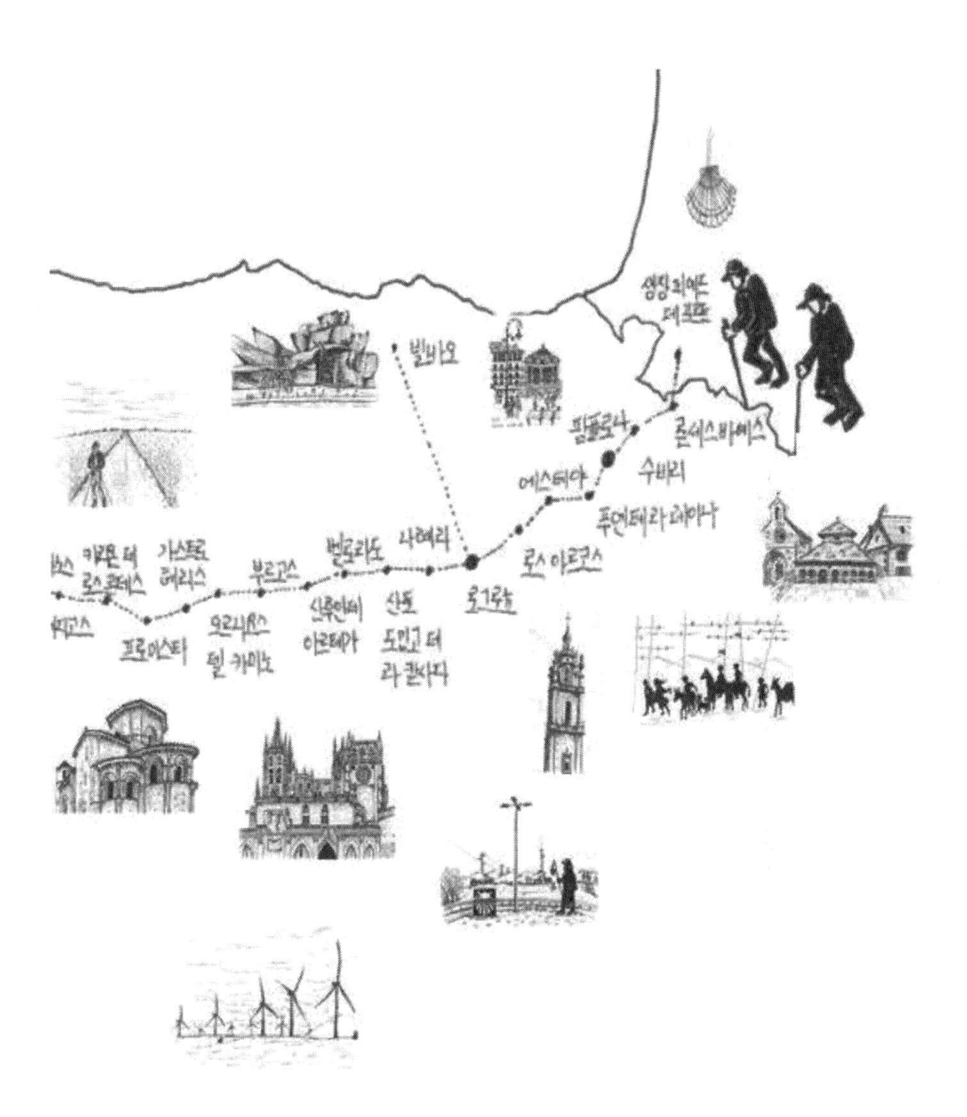
빌바오
팜플로나
론세스바예스
수비리
에스테야
푸엔테 라 레이나
로스 아르코스
나헤라
로그로뇨
벨로라도
부르고스
산토 도밍고 데 라 칼사다
오르니요스 델 카미노
카스트로 헤리스
프로미스타
카리온 데 로스 콘데스

오래된 벗과 함께

우리 부부는 둘 다 스페인어는커녕 영어도 잘 못 하지만, 둘이서 스페인 산티아고 순례에 도전했다. 스마트기기 덕분에 언어의 한계를 보완할 수 있었지만 만국 공용어인 표정과 몸짓은 휴대폰 번역기보다 큰 힘을 발휘했다.

남편은 나이에 비해 스마트기기를 잘 다루고, 문제해결력이 좋아 숙소, 교통수단 등을 인터넷으로 예약하며 순례를 이끌었다. 하지만 생각이 떠오름과 동시에 몸이 움직이며 자신감이 크고 남 눈치 볼일 없이 살아서 행동이 거침없고 조심성도 부족하다. 나와 반대 성격이다. 순례길 조용한 새벽, 침대에서 내려오는 소리조차 커서 본의 아니게 민폐를 끼쳤고 미안함은 내 몫이었다.

걷다가 갈림길이 나오면 남편은 자기 느낌대로 당당히 걸어갔고 대부분 잘못 걸어간 만큼 되돌아와야 했다. 생각없이 따라갔다 되돌아오기를 몇 차례 반복 후, 남편이 어디로 가던 나는 순례길 안내표시를 찾거나 지도를 검색해 엉뚱한 곳으로 가는 남편을 불렀다.

식당에서 메뉴를 보며 음식을 정하지도 않고 직원을 부르고, 직원이 기다리고 서 있으니 대충 주문하거나, 음식 맛도 안 보고 바쁜 직원에게 소금 달라고 했는데, 막상 먹으면 소금이 필요 없기도 했다.

ATM기에서 돈이 바로 안 나오자, 기계가 고장 났다며 돌아서 가고, 나는 조금 늦게 나온 돈을 챙겨서 쫓아가기도 했다. 당시에는 나도 예민해서 심각하게 받아들이고 큰일로 여겼는데 지금은 웃음이 나온다.

"서로 싸우지 않으세요?"

"부부가 함께 왔는데 괜찮나요?"

"부부가 함께 오다니 부럽네요. (놀랍네요.)"

순례길에서 비슷한 말을 들을 때마다 어떤 표정을 짓고 무슨 말을 할지 난감했다. 사회관계망이 빈약한 나로서는 남편이 가장 편한 사람이고, 남편도 나와 별반 차이 없어 자연스레 함께했다.

남편은 문제가 있을 때 의논하기보다는 주로 혼자 결정하고, 나머지 부분은 나한테 알아서 하라는 식으로 대처한다. 첫날부터 일어난 돌발상황, 낯설고 변수 많은 순례길에서 남편과 호흡 맞추기 쉽지 않았다.

의견이 달라 갈등이 생기거나 불편한 감정이 들 때 나는 대화하며 남편의 생각과 의도를 이해하려 노력했다. 그러나 의도를 알아도 남편 행동이 맘에 안 들 때가 많았는데, 그때는 남편 행동을 바꾸고 싶은 내 욕구를 빠르게 포기했다. 그러면 마음이 편해졌다. 생각해 보면, 맘에 안 드는 남편 행동이 장점에 비하면 사소했다.

남편은 갈등 상황에서 먼저 화해의 손을 내밀고 내 실수나 마음에 안 드는 점을 지적하지 않고 넘어갔다. 꼬장꼬장한 내게 없는 장점이다.

우여곡절도 있었지만 30년 함께 한 내공으로 스페인 산티아고 순레길 800km를 완주했고, 이어서 한 달 이상 여행도 잘 마쳤다. 걸으며 많은 이야기를 나누니 우리의 차이점을 더 잘 알게 되었지만 서로에 대한 신뢰감은 커졌다. 스페인 산티아고 순례길은 인생 후반전을 맞이한 우리를 응원하는 축복의 길이다.

위태로운 순간도 있었지만, 신뢰를 바탕으로 끝까지 함께 했다.
산티아고 순례길 표지석 앞에서.

경험자가 추천하는 준비물 팁

4월과 5월 스페인 산티아고 순례길(프랑스 길) 날씨는 한마디로 하루에 사계절이 다 들어있다. 새벽이나 아침 일찍 출발할 계획이라면 장갑과 패딩은 필수다. 일부 구간은 바람까지 세서 바람막이를 꼭 챙기고 추위를 많이 탄다면 방한에 특히 신경 써야 한다. 일교차도 커서 낮에는 기온이 올라 덥고 햇볕이 강하기 때문에 안에는 얇은 옷을 입는 게 좋다. 많은 옷은 필요 없지만 날씨를 고려해 다양한 두께 옷이 필요하다.

우리도 출발 전날까지 짐을 넣었다 빼기를 반복했는데 경험해보니 순례 동안 많은 물건은 필요하지 않다. 배낭 무게가 자기 몸무게의 10%를 넘지 않도록 꾸리는 게 바람직하다니 최소 준비물로 배낭을 꾸리면 된다.

얇은 패딩과 바람막이는 꼭 챙기고, 경제력이 된다면 고어텍스 바람막이를 준비하면 비옷 대용으로도 입을 수 있다. 가볍고 잘 마르는 기능성 등산 바지 2벌, 셔츠 2벌, 보온용 상의(지퍼형 후드 등), 속옷 2~3벌, 숙소에서 입을 편한 옷이 필요하다.

추위를 많이 탄다면 얇은 내복 1벌 준비해도 괜찮다. 따뜻한 옷이 없었던 나는 레깅스를 내복 대신 입었고, 상의는 갖고 있는 옷을 다 껴입어도 추워서 로그로뇨에서 지퍼형 후드를 샀다.

세면도구와 샤워용품은 샤워장에서 걸고 사용할 수 있는 고리 달린 가방에 넣고, 갈아입을 옷을 넣을 방수 주머니, 여성이라면 공용 샤워장에서 샤워 후 편하게 입고 나올 수 있는 헐렁한 원피스도 준비하면 편하다.

판초 비옷, 너무 두껍지 않은 침낭, 수건, 비상약, 충전기, 챙모자, 조금 늦게 출발해서 오후에 걷는다면 선크림과 선글라스도 준비한다. 새벽이나 아침 일찍 걷기 시작한다면 얇은 털모자, 헤드 랜턴, 장갑을 준비한다. 특히 장갑은 두께가 다른 것 두 개를 준비하면 기온에 따라 그리고 비가 와서 젖었을 때 유용하다.

숙소와 근처를 돌아다닐 때 이용할 신발, 슬리퍼나 샌들도 필요하다. 샌들을 가져간 우리는 공항 보안 검색대를 통과하거나 장시간 비행에도 편리했다.

양말은 조금 비싸더라도 두꺼운 등산용 울 양말을 추천한다. 발가락 양말이 좋다고 해서 준비했지만 익숙하지 않아 걸을 때 불편했다. 울 양말 하나만 신고, 걷는 중간 쉴 때 등산화와 양말까지 벗고 발을 말리고 바셀린을 발랐더니 물집은 한 번도 안 생겼다.

중년이라면 산길, 돌길 등을 걸을 때 도움이 되는 스틱, 운동화보다는 등산화를 준비하는 게 발이나 무릎 관절에 가는 충격을 줄여줄 수 있다.

레깅스를 많이 추천하는데, 평소 레깅스를 즐겨 입지 않는 중년 이상이라면 새로 살 필요 없다. 익숙하지 않아 불편하고 입어도 모양도 안 난다.

그 밖에 간식 넣을 지퍼백, 정수 물통도 있으면 유용하다. 우리는 정수 물통을 이용했고 수도가 보일 때마다 물을 보충하니 생수를 한꺼번에 사서 메는 것보다 가볍게 걸을 수 있었다.

우리는 순례 떠나기 전 배낭 꾸리기에 너무 많은 돈과 시간을 썼는데 (가벼운 제품일수록 가격은 비싸다.) 그럴 필요 없었다. 기본 준비물로 간단히 배낭을 꾸리고, 무엇을 가져갈지 고민할 시간에 차라리 걷기 연습하는 게 낫다. 걷는 데 문제만 없다면 짐은 별 상관없다. 혹시 더 필요한 용품이 있다면 현지에서 얼마든지 살 수 있다.

스페인 산티아고 순례길(프랑스 길)에는 배낭 택배 제도가 잘 되어 있다. 한 번 이용에 평균 6유로(우리가 이용할 당시) 정도 비용이 든다.

순례길(프랑스 길) 거의 모든 숙소에는 여러 택배 회사 봉투가 비치되어 있다. 봉투에 이름, 전화번호, 배달할 주소를 쓰고 돈을 넣고 봉한 후 배낭에 매달아 지정된 장소에 두고 택배 회사에 확인하면 된다. 문자는 '왓츠앱'을 이용한다. 작은 배낭에 필요한 물건만 넣어 메면, 일반적으로 하루에 걷는 25km 정도는 무난히 걸을 수 있다.

순례 초반에는 너나없이 큰 배낭을 메고 의욕적으로 걷지만, 시간이 흐를수록 배낭 택배를 이용해 체력의 한계를 극복하려는 나이 든 사람 비율이 늘어난다.

젊은 순례자, 자신만의 순례 원칙이 있는 순례자, 또 종교적 이유와 고행이 목적인 순례자라면 모르지만, 체력이 약하거나 중년 이상이라면 다른 데서 돈을 아끼더라도 배낭 택배를 마다할 이유는 없다고 생각한다.

순례 떠나기 전, 무릎이 아파 순례길을 완주할 수 있을지 걱정했던 남편은 배낭 택배를 이용할 마음을 먹고도 나와 대화나 의논하지 않았다. 나는 배낭 택배를 생각해본 적도 없었고, 말을 안 하니 남편 무릎이 얼마나 아픈지 몰랐다.

순례가 시작되자 남편은 일방적으로 배낭 택배 제도를 이용했고 순례 초기에는 그 문제로 남편과 다퉜다. 하지만 결과적으로 배낭 택배를 이용한 것은 잘했다고 생각한다. 덕분에 무릎 아픈 남편도 순례길을 완주했다.

순례길에서 나이가 많은 외국 순례자를 자주 보았는데 그들의 당당함과 열정은 대단했다. 약을 한 보따리씩 갖고 다니고 무릎에 테이핑하고 절뚝거리면서도 한 걸음씩 내디뎠다. 배낭 택배는 이런 사람들에게는 고마운 제도다.

체력이 약하거나 나이가 많아도 산티아고 순례길을 걸어보고 싶다면 충분히 걷기 연습하고 용기 내서 도전하라고 말하고 싶다. 못 갈 이유를 찾으면 끝도 없겠지만 스페인 산티아고 순례길은 인생에 한 번은 걸어 볼 만하다.

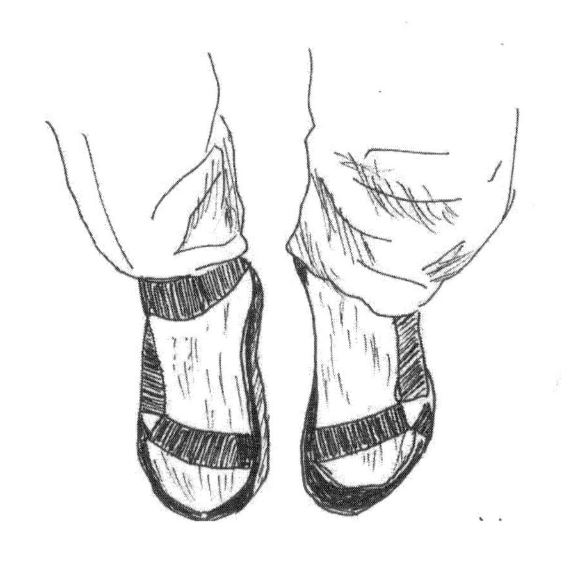

여러모로 유용하고 편하게 신었던 샌들

1부 위태로운 출발

순례길 표지석

인천에서 파리 드골 공항(CDG)까지 (4월 5일 수)

드디어 스페인 산티아고 데 콤포스텔라까지 순례 대장정이 시작되었다. 먼저 파리까지 가기 위해 독일 프랑크푸르트를 경유하는 루프트한자 비행기를 탔다. 며칠 전, 비행기 출발이 지연된다는 메일이 와서 항공사에 문의하니, 비행경로가 바뀌는 것이라서 도착 시간은 같거나 오히려 빠를 수 있다고 해서 안심했다.

프랑크푸르트로 가는 동안 기내식 한 번, 간식, 샌드위치 등을 받았다. 푹 자려고 포도주도 요청해서 마셨지만, 긴장 때문인지 잠들기 어려웠다. 그 이외는 비행하는 내내 만족스러웠다.

출발 준비하는 비행기를 볼 때 마음이 설렜다.

항공사 말과는 다르게 막상 비행기가 프랑크푸르트 공항에 도착했을 때 환승 시간은 한 시간 정도밖에 남지 않아 당황했다. 우리는 뛰었다. 그런데 프랑크푸르트 공항은 넓어도 너무 넓었다.

뛰다가 지칠 즈음 긴 줄이 보였고 드디어 보안 검색대에 이르렀다. 인천 공항의 일사천리 검사와는 다르게 한 곳뿐인 보안검사대에서 검사는 세세하고 느리게 진행되었다.

줄은 천천히 줄어들고 입이 바짝바짝 마르고 가슴은 뛰었다. 그대로 줄에 서 있다가는 비행기를 놓치겠다 싶어 사람들에게 양해를 구하고 제일 앞쪽으로 갔다. 흔쾌히 순서를 양보해 준 사람들이 고마웠다.

보안 검색대를 통과하고 입국심사 할 때, 이것저것 묻는 통에 마음은 더 초조했다. 다시 환승 게이트를 향해 뛰었다. 다행히 늦지 않게 도착했고 바로 비행기에 탑승하고 숨을 돌렸다.

독일 프랑크푸르트에서 파리까지는 한 시간 정도 걸린다. 파리에서는 아무런 검사도 없고 가방만 찾으면 되는데 아무리 기다려도 우리 배낭은 나오지 않는다. 우리 것뿐만 아니라 많은 가방이 도착하지 않았다.

사무실로 찾아가니 종이 한 장씩을 나눠주며 불어로 뭐라고 하는데 알아듣지는 못하겠고 가슴만 쿵쾅거렸다. 남편이 종이에 적혀 있는 분실 신고 사이트에 접속하여 분실 정보를 입력하는데 자꾸 에러 메시지가 떴다. 진땀을 흘리며 한참을 끙끙거리다가 항공사 직원의 도움으로 겨우 접수했다.

프랑크푸르트 공항에서 분실된 짐들이 파리 드골 공항(CDG)에 도착하면 분실 신고 사이트에 입력된 주소로 하루에서 이틀 사이에 배달해 준다고 한다.

우리는 파리에 도착하는 시각이 늦어 드골 공항(CDG) 근처 호텔(holiday inn express)에서 숙박할 예정이었다. 접수한 항공사 직원이 우리 호텔 주소를 보더니, 거리가 가까우니 공항으로 직접 와서 배낭을 찾겠냐고 물었다.

내일 아침 8시까지 공항 30번 출입구 앞에서 인터폰으로 루프트한자 직원을 호출하고, 분실 접수한 사무실로 와서 직접 배낭을 찾아가면 된다고 한다. 한시라도 배낭을 빨리 찾고 싶어 배낭을 배달받는 대신 그렇게 하기로 했다.

배낭도 없이 빈 몸으로 공항을 빠져나오며 보니, 분실되는 가방들이 많은지 주인을 찾지 못한 트렁크들이 공항 구석에 줄지어 널브러져 있다. 마음이 심란하다.

공항 구석에 있는 분실된 가방 주인들도 나처럼 애가 탈 거다.

배낭 분실 때문에 한바탕 홍역을 치르고 나니 밤 11시가 넘었다. 우리가 묵을 호텔이 공항 셔틀(CDG VAL)을 타고 갈 수 있는 가까운 거리라 별 어려움 없이 호텔에 도착했다.

너무 기진맥진해서 호텔에 도착하자마자 침대에 쓰러질 생각이었는데, 호텔이 초과예약을 받아 방이 없었다. 우리는 다른 호텔의 방 열쇠를 받고 기어가다시피 그 호텔로 걸었다.

신경이 곤두서있는데도 종일 먹은 게 별로 없어 허기가 몰려왔다. 호텔 자판기에서 샐러드를 사 먹고, 치약 칫솔도 없이 이를 닦고, 샤워 후 입던 옷을 다시 입고 침대에 누웠다. 몸은 피곤한데 잠은 안 들고 비몽사몽 밤을 보냈다.

호텔 창문으로 바라본 거대한 드골 공항은 어둠 속에 무심히 서 있다.

하루 늦게 온 배낭을 찾고 (4월 6일 목)

맞춰놓은 알람이 울리기도 전에 일어났다. 파리에서 사흘을 머물 예정이라 배낭만 찾는다면 일정에 차질이 생기지 않지만, 배낭을 못 찾을까 걱정했다.

일찌감치 공항으로 갔다. 설명 들은 대로 인터폰을 누르고 루프트한자 직원을 호출했지만, 기다리라는 대답만 돌아왔다. 한참을 초조하게 기다렸다. 그때 마침 출근하던 높은 직급인 듯한 드골 공항 직원의 도움으로 공항 출입구를 통과해서 사무실로 갔다.

또 하염없이 기다린 다음 프랑크푸르트에서 들어온 비행기의 짐 가운데서 우리 배낭을 찾았다. 사무실에 가서 습득 관련 서류를 작성하고 접수 완료했다. 얼굴에는 환한 미소가 저절로 지어졌지만, 다리는 힘이 풀려 휘청거렸다. 큰 산 하나를 넘은 기분이다.

원래 예약했던 호텔에서 다시 체크인하고 객실로 들어가자마자 배낭을 벗고 침대에 몸을 눕혔다. 창밖으로는 비행기와 관제탑이 보였다. 마음이 진정되고 나서야 파리 날씨가 눈에 들어왔다. 4월이지만 겨울처럼 춥고 비도 부슬부슬 내려서 음산했다. 몹시 피곤했던 우리는 파리 시내 구경은 포기하고 호텔에서 쉬었다.

내일 비아리츠로 이동할 계획이라, 우리가 탈 이지젯 항공이 출발하는 공항 터미널 2를 답사하고 밥도 사 먹으려고 오후 느지막이 호텔을 나섰다.

무료 공항 셔틀(CDG VAL)을 타고 터미널 2에서 내려 공항을 둘러보았다. 햄버거 가게가 눈에 띄어서 햄버거를 먹기로 했다. 햄버거를 무인주문기로 주문해야 하는데 불어로 쓰여 있다. 한글로 된 무인주문기 앞에서도 버벅거리는데 불어라니, 남편과 나는 머리를 맞대고 추측과 유추하며 주문에 성공했다. 그런데 주문하고 보니 언어를 영어로 바꿀 수 있었다. 이런.

주문할 때 입력한 번호판을 들고 앉아서 기다리니 직원이 햄버거를 갖다 준다. 오랜만에 먹어 보는 햄버거다. 잃었던 배낭을 찾고 먹는 프랑스 파리의 따뜻한 햄버거는 맛도 있지만 간장하고 지친 마음을 위로하고 녹여주었다.

따뜻한 햄버거는 긴장했던 마음을 녹이기 충분했다.

파리에서 비아리츠, 다시 생장으로 (4월 7일 금)

원래 계획은 파리 도착 다음 날 이지젯 항공을 타고 비아리츠로 이동하는 거였는데 항공사 사정으로 출발 날짜가 하루 미뤄졌다. 그 바람에 우리는 파리에서 사흘을 머물기로 했었다. 덕분에 어제는 분실했던 배낭을 찾았고, 오늘은 비아리츠행 비행기를 탔다.

우리가 이용한 이지젯 항공은 저가 항공이라 음료 서비스는 없다. 짧은 비행 후 비아리츠에 도착했고 불안한 마음과는 다르게 배낭은 바로 나왔다.

공항 밖으로 나오니 예약한 택시 기사가 우리를 기다리고 있다. 대형 택시에는 이미 다양한 국적 사람들이 타 있었다. 택시 요금은 탄 사람들 숫자에 따라 1/n로 내는 방식인데 승객이 꽉 차서 우리는 편하고 저렴하게 생장에 도착했다.

생장에 도착하자마자 순례자 사무실로 갔다. 순례자 사무실 봉사자들은 대부분 나이가 많았는데 아주 친절했다. 우리를 담당했던 분은 제주도에 가본 적이 있다며 반겨주셨다. 신원을 확인하고, 간단한 주의 사항을 듣고, 크리덴셜(순례자 여권)에 첫 번째 도장을 받았더니 모든 절차가 끝났다.

4월은 날씨에 따라, 첫날 걷는 피레네산맥 나폴레옹 길이 폐쇄될 수 있는데 내일은 걸을 수 있다. 사무실 한쪽에 있는, 순례자를 상징한다는 조개를 배낭에 매달고 동전을 기부금 통에 넣었다.

순례자의 상징인 조개껍데기

생장은 작고 예쁜 도시다. 단단한 성벽으로 둘러싸인 마을 중심에는 성당이 있고 한편으로 강이 흐른다. 성벽은 생장이 스페인과 접경지역임을 말하는 듯했다. 중심 거리에 길게 늘어선 상점들은 관광지로서의 면모를 드러냈다. 비장한 얼굴을 한 순례자들과 편안한 웃음을 띠고 있는 가족 단위 관광객들로 거리는 북적거렸다.

남편이 예약한 호스텔(La Villa Esponda)은 직원이 상주하지 않고 전화해서 불러야 했는데 우리는 데이터만 쓸 수 있는 e-심이다. 한 투숙객이 대신 통화해 준 덕분에 체크인했다. 마주치는 사람들이 친절하다. 우리는 가게에서 샐러드, 오렌지, 바나나 등을 샀다. 며칠만에 과일과 채소를 실컷 먹고 나니 몸과 마음이 한결 편해졌다.

내일 넘을 피레네산맥이 가장 어려운 구간이라고 해서, 마을을 간단히 돌아보고 숙소로 돌아와 쉬었다. 설레고 긴장되는 마음으로 낯선 침대에 누워 천장을 바라보니 이곳에 도착하기까지 과정들이 스쳐간다. 저녁 8시 30분이 지나도록 해는 떠 있고, 환하게 밝은 저녁거리는 늦도록 활기 넘친다.

작고 예쁜 도시 생장은 저녁 늦도록 활기 넘친다.

피레네산맥 넘기 (4월 8일 토)

생장 Saint Jean Pied de Port ~ 론세스바예스 Roncesvalles

파리 도착한 지 나흘째, 산티아고 순례 첫날이다. 긴장되어 새벽 일찍 잠이 깼다. 피레네산맥을 넘어 스페인으로 가는 오늘이 가장 힘든 날이니, 남편은 배낭 택배를 이용하자고 했다.

남편 배낭에 모든 짐을 넣고, 택배 신청 봉투에 예약한 알베르게(기숙사) 주소를 쓰고 돈을 넣어 배낭에 매달았다. 배낭을 지정된 장소에 두고 택배 담당자에게 확인 문자를 보냈다. 걸으면서 필요한 것들은 내 배낭에 넣어 남편이 메고 출발했다.

어둠이 걷히고 해가 나오자, 아름다운 풍경이 눈에 들어왔다. 파란 하늘과 화창한 날씨에 기분이 상쾌하고 발걸음도 가벼웠다.

피레네 산은 가파르지는 않지만, 규모가 커서 한참을 걸어도 산을 벗어나지 못했다. 멀리 까마득하게 보이던 눈 덮인 봉우리가 한참 걷다 보면 뒤쪽 저 아래 보였다. 멀리 보이는 봉우리를 향해 또다시 걸었다.

오리손 카페에서 달콤한 커피와 또르띠아를 사 먹고, 도중에 보이는 식수대에서 물도 보충했다. 적당한 곳에 앉아 신발까지 벗고 햇볕을 쬐며 챙겨간 오렌지, 치즈, 빵을 먹으며 쉬었다. 먹고 쉬면 다시 걸어갈 힘이 났다.

피레네산맥 나폴레옹 길 조형물 앞에 선 남편

배낭을 안 메고 걸어서인지 걱정했던 것만큼 힘들지는 않지만 산에서 길을 잘못 들어서 30km 이상 걸었다. 지쳐서 더는 못 걷겠다고 느낄 즈음 론세스바예스에 도착했다. 우리는 피레네산맥을 무사히 넘었다.

알베르게(기숙사)에서 봉사하는 분들은 모두 친절했고, 침대와 베

개에는 일회용 커버를 씌우고, 화장실도 깨끗했다. 샤워 후 짐 정리하고 밖으로 나와 근처 식당에서 시원한 맥주를 한 잔 마시니 걷느라 힘들었던 피곤이 사라지는 것 같았다. 론세스바예스는 워낙 작은 지역이라 돌아볼 곳도, 일반 사람들이 사는 집도, 가게도 없다. 식사는 체크인할 때 샀던 쿠폰으로 근처 식당에서 다른 순례자들과 함께 먹었다.

남녀 구별 없이 여러 사람이 같은 방 이층 침대에서 지낸다는 사실이 낯설었는데 생각했던 것보다 괜찮다. 가장 힘들다던 첫날이 무사히 지나간다.

성당과 알베르게를 제외하고는 일반 집도 가게도 없는 론세스바예스

갈등 해결은 걸으면서 (4월 9일 일)

론세스바예스 Roncesvalles ~ 수비리 zubiri

알베르게(기숙사)에서 머물던 순례자들이 같은 식당에서 다 함께 아침을 먹고 비슷한 시각에 출발했다. 긴 순례 행렬이 만들어졌고 그 모습은 영화 한 장면 같았다. 순례 행렬은 시간이 지나며 각자 걷는 속도에 따라 흩어졌다.

나는 추워서 가지고 있는 옷을 모두 껴입었지만, 반바지를 입거나, 셔츠 하나만 달랑 입은 순례자도 있다. 그런가 하면 겨울 패딩에 두꺼운 털장갑까지 낀 순례자 등 차림새가 다양하다.

순례자들은 각자 방식대로 걷는다.

남편은 오늘도 일방적으로 배낭을 택배로 보냈다. 어제 배낭을 안 메서 수월하게 피레네산맥을 넘었지만, 남편은 서울에서부터 지금까지 배낭 택배에 관해서 한마디도 안 했다. 내가 배낭 택배 관련 이야기를 하면 대충 얼버무리는 남편이 나를 무시하는 것 같아 기분이 상했다. 함께 걷는 것에 회의감이 들고 그 감정이 그대로 얼굴에 드러나 불편한 분위기가 되었다.

그 상황을 바꾸고 싶어 걸으면서 대화를 시도했다. 시간도 충분하고 방해하는 사람도 없어 내가 하고 싶은 이야기 다 하고 남편이 하는 말도 충분히 들었다. 걸으면서 대화하니 감정이 격해지지 않고 차분한 상태가 유지되었다.

배낭 택배는 상황에 따라 필요하면 이용하기로 했고, 마음 속 앙금을 털고 다시 의기투합했다.

이국적인 건물과 중세 느낌이 남아있는 마을을 지났다. 해가 높아지며 기온이 오르고 점점 더워져 머리에 쓰고 있던 털모자를 챙모자로 바꾸고 겉옷도 벗고 선글라스를 꼈다.

말들이 한가로이 있는 풀밭과 또 다른 마을을 지났다. 목적지인 수비리까지는 거리가 멀지 않아서 쉽게 갈 수 있으리라 생각했지만, 날카로운 돌로 이루어진 언덕과 비탈길이 반복돼서 걷기 힘들었다. 다른 순례자들과 앞서거니 뒤서거니 하며 쉬다 걷기를 반복했다.

어제 머물렀던 론세스바예스에는 슈퍼마켓도 없어 어제 저녁과 오늘 아침을 먹은 식당에서 점심 도시락까지 주문해서 샀다. 도시락 주머니에는 햄과 치즈가 들어있는 샌드위치, 물 한 병, 사과, 곡물 시리얼 바가 들어있다. 점심때 나무 둥치를 찾아 쉬면서 샌드위치와 사과를 먹었다.

등산화와 양말까지 벗고 바셀린을 바르며 발을 마사지했다. 이렇게 하면 발에 물집이 안 생긴다고 한다.

수비리는 개울이 흐르고 목장이 있는 작고 예쁜 시골 마을이다. 놀이터에서 아이들이 뛰어놀고 있다. 오랜만에 들어보는 아이들 고함과 웃음 소리가 정겹다.

우리가 머문 알베르게(Albergue-Rio Arga IBAIA) 방 10명 중 7명이 우리나라 사람이다. 산티아고 순례길을 걷는 우리나라 사람이 많다는 사실이 실감났다. 알베르게 시설은 대체로 만족스럽지만, 돌로 만든 건물이라 실내가 춥고 냉해서 자주 밖에 나가 햇볕을 쬐다 들어와야 했다.

문득 스페인 시골 작은 마을에 내가 있다는 사실이 낯설게 느껴졌다. 목적도 없이 순례길에 덜컥 나선 내가 무모했다는 생각도 든다. 하지만 내일은 팜플로나라는 큰 도시로 간다고 하니 마음이 조금 설렌다.

가슴에 품고 있는 마음의 고향 같은 예쁜 풍경이 있는 수비리

공휴일 식당 영업을 오해하고 (4월 10일 월)

수비리 zubiri ~ 팜플로나 pamplona

어제는 부활절이었고 오늘은 공휴일이라고 한다. 스페인에서는 일요일과 공휴일에 대부분 상점과 식당이 문을 닫는다. 어제 수비리에 도착해서 짐을 풀고 샤워를 하는데, 누군가 급박한 목소리로 말했다.

"오늘 3시부터 내일까지 모든 가게와 식당이 영업하지 않는데요. 굶지 않으려면 슈퍼마켓에 가서 내일 먹을 것까지 사 오라고 합니다. 얼른 움직이세요."

3시가 다 되어가던 때라 그 말의 사실 여부를 생각할 겨를이 없었다. 샤워하다 말고 머리에서 떨어지는 물기만 닦고, 동네에 하나밖에 없다는 슈퍼마켓으로 달려갔다. 다른 사람들도 슈퍼마켓이나 식당으로 뛰었다.

슈퍼마켓에서 사 온 음식으로 저녁을 대충 먹고, 실내가 추워서 해가 있는 따뜻한 밖으로 다시 나갔다. 그런데 저녁 늦은 시각인데도 식당은 영업 중이고 빵 가게에서는 빵을 팔았다. 갑자기 허탈한 웃음이 나왔다. 앞뒤 생각 없이 헐레벌떡 슈퍼마켓으로 뛴 생각을 하니 어이가 없었다.

오늘 새벽 어제 사두었던 바나나, 요구르트, 빵을 먹고 출발했다. 모든 식당이 문을 닫는다는 소문을 믿지 않으면서도 비상식량(?)으로 과자와 초콜릿을 단단히 챙겼다.

걷다 보니 해가 떴다. 목초지도 지나고 동화 속 그림 같은 마을도 지났다. 말 목장을 지나는데, 선한 눈을 가진 말 한 마리가 다가왔다. 말을 이렇게 가까이에서 본 것은 처음이다. 특별한 느낌으로 한참을 서로 마주 보았다. 돌아설 때는 아쉬운 마음마저 들었다. 말과 교감했던 아주 특이한 체험이다.

말과 서로 통하는 느낌이 드는 교감은 특이한 체험이었다.

출발 후 10km쯤 지나 커피와 간단한 음식을 파는 식당이 나타났다. 어제 들은 소문과 다르게, 공휴일이지만 (순례자들을 위해서) 영업하고 있다. 우리는 커피와 호박파이를 사고 순례자 여권에 도장을 찍었다. 맛있는 호박파이를 먹고 커피도 마시며 쉬었다.

속속 도착하는 순례자들도 무언가를 사 먹고 화장실도 이용했다. 어제 우리와 같은 알베르게에 머물렀던 젊은 순례자 두 명도 도착했다. 젊은이들은 어제 사두었던 하루 지난 샌드위치를 배낭에서 꺼내며 우리와 멋쩍은 웃음을 주고받았다.

공휴일이지만 영업하던 카페 앞에 있던 조형물은 순례자를 반겼다.

휴일이라 걷거나 달리거나 자전거를 타며 운동하는 주민들과 마주쳤다. 많은 사람이 우리에게 웃으며 인사했다. 순례자들에게 호의적이라는 게 느껴졌다. 우리도 "올라(안녕)", "부에노스 디아스(좋은 아침)"를 반복했다.

걷고, 또 걷고, 또 걸었다. 도중에 수도가 보였고 단추를 누르니 시원한 물이 콸콸 쏟아졌다. 우리는 물통에 새로운 물을 보충했다. 마시는 게 가능한 깨끗한 수돗물이지만 혹시 몰라 정수 물통을 이용해 물을 걸러 마신다. 하지만 외국 순례자들 대부분은 일반 물통에 물을 받아 그냥 마신다.

작은 산을 넘으니, 도시가 보이기 시작했고 며칠 동안 한적한 좁은 시골길만 걷다 도시에 들어서니 어색했다. 순례자들이 헤매지 않도록 곳곳에 순례길 표시와 노란색 화살표가 그려져 있다. 표시를 따라 드디어 팜플로나에 도착했다. 팜플로나에서는 이틀을 머물며 도시를 구경할 계획이다.

어디서 시작되었는지 모르는 소문에 홀려, 어제는 샤워하다 말고 슈퍼마켓으로 달렸고, 오늘 카페는 소문과 다르게 영업했다. 주변에 널린 정보를 판단해서 받아들이고 그 결과에 책임을 지는 것은 각 개인이라는 사실을 실감한 하루다. 사람 사는 세상은 다 똑같다.

쉬어 가기 - 첫 번째 충전 시간

순례길 표지석

팜플로나 여행 (4월 11일 화)

순례길에서는 한 공간에서 남녀 구분 없이 여러 사람과 함께 지냈지만, 팜플로나에서는 이인용 호스텔(알로하 호스텔)에서 편하게 지내기로 했다. 남편은 우리에게 주는 선물이라고 했다.

느지막이 일어나 밖으로 나왔다. 중세 모습을 간직한 거리는 잘 관리되어 아름다웠다. 예쁜 정원이 곳곳에 있고 산책로도 많았다. 개와 함께 산책하는 사람들과 곳곳의 벤치에 앉아 따뜻한 햇볕을 쬐는 나이 든 노인들이 많이 보였다.

먼저 팜플로나 박물관으로 갔다. 순례자는 무료입장이고 도장(세요)도 받았다. 친절한 직원은 꼭 봐야 하는 유물이 전시된 방을 안내하고 기념 책갈피와 영어로 된 소책자도 챙겨주었다. 스페인어로 설명이 쓰여 있는 전시물은 크게 다가오지 않지만, 직원들의 친절에 감동했다.

까스띠요 광장에는 헤밍웨이가 머물러 유명해졌다는 카페 '이루나'가 있다. 스페인에서 먹어봐야 한다는 추로스와 초콜릿을 주문했다. 초콜릿은 생각보다 달지 않고 추로스를 찍어 먹으니 맛있다. 야외 테이블에서 느긋하게 햇볕을 쬐며 광장의 북적거림을 즐겼다.

사람이 많아 활기찬 가스띠요 광장

팜플로나는 7월에 열리는 투우 축제가 유명하다. 커다란 투우장 주변에는 투우 관련 기념품 가게들이 많다. 미로 같은 거리에 서니 TV에서 보았던, 골목에서 골목으로 소를 몰아가던 장면이 생생하게 그려졌다. 그러나 요즘은 동물 학대 논란이 일어 투우도 옛날처럼 인기가 많지 않다고 한다.

팜플로나 대성당은 입장료 5유로가 아깝지 않을 만큼 볼거리가 많다. 특히 초기 교회 발굴 현장을 실감 나게 전시한 공간, 성당 안쪽 정원과 회랑은 인상적이다. 팜플로나를 방문하는 관광객과 순례자들에게 꼭 들러 보라고 추천한다.

타파스는 스페인에서 가볍게 먹는 간식 종류인데 가게마다 다양한 종류를 판다. 남편이 타파스를 먹자고 해서 바(bar)에 들어가 각자 맘에 드는 타파스를 고르고 맥주도 주문했다. 음식이 나오고 사진을 찍으려고 하니, 센스 있는 직원이 포도주병을 놓아주며 사진 소품이라고 했다. 그럴듯한 사진이 나왔다. 덕분에 맛있는 타파스도 먹고 즐거운 시간도 보냈다.

여러 바(bar)를 돌며 타파스를 맛보는 '타파스 순례'를 하자는 남편의 제안에 다른 바(bar)에 들어갔다. 두 군데에서 타파스를 먹고 맥주까지 마셨더니 배가 불렀다. 더는 못 먹겠다는 내 말에 남편은 세 번째 바(bar)를 못 간다며 아쉬워했다.

골목마다 사람들이 꽉 차서 움직이기 힘들었다. 골목 구경, 사람 구경을 하며 까스띠요 광장으로 다시 갔다. 광장 옆에 아이스크림 가게가 보였다. 한국에서라면 아이스크림 먹겠다고 줄 서지 않았겠지만, 분위기에 취해 우리도 긴 줄 뒤에 섰다. 사진을 보니 우리는 아이스크림을 들고 아이처럼 활짝 웃고 있다.

내일부터 다시 순례자다. 내일 새벽에 출발할 때 길을 헤매지 않도록 벽과 바닥에 표시된 순례길 표시를 확인하고 숙소로 돌아왔다. 느긋하고 즐거운 팜플로나 여행이었다.

포도주병을 놓아주며, 멋진 사진을 남기라던 직원 말에 가슴이 따뜻했다.

2부 세찬 바람

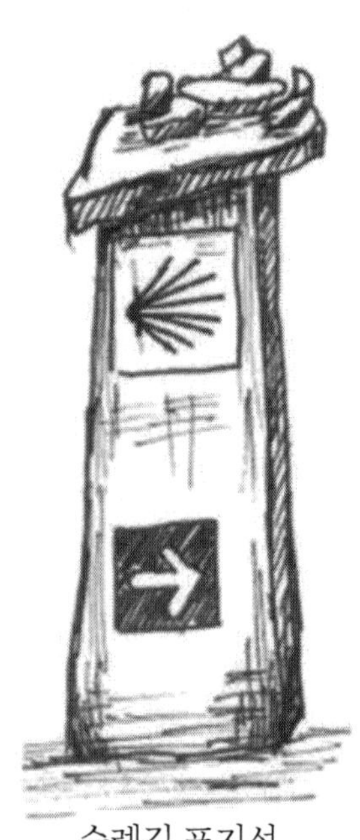

순례길 표지석

순례길의 의미 (4월 12일 수)

팜플로나 pamplona ~ 푸엔테 라 레이나 puente la reina

해가 뜨기 전에 출발했지만, 가로등이 잘 되어있어 헤드 랜턴은 필요 없었다. 그런데 순례길이 차도 바로 옆이라 매연과 소음이 심했다. 오늘도 25km 넘게 걸었다.

해가 떠오르는 모습을 보았고, 잘 가꾼 넓은 정원이 있는 나바라 대학도 지났다. 노란 유채꽃물결이 곳곳에 펼쳐졌다. 노란색을 보니 기분이 좋아지며 힘도 났다.

비가 온다는 예보가 있었지만, 중간에 잠시 빗방울이 떨어지다 말았다. 하늘에 잔뜩 낀 구름이 바람 따라 이리저리 흐르며, 산을 오르는 우리를 휘감았다. 가시거리는 짧아지고 사방이 온통 구름에 싸이는가 싶더니 바람 방향이 바뀌고 구름은 다시 멀어졌다. 구름 속을 걸으니 기분이 이상했다.

'바람의 언덕'이라고 부르는 에레니에가 전망대에 올랐다. 줄지어 걸어가는 순례자들을 형상화한 거대한 조형물이 보였다. 그 조형물을 바라보는데 가슴에서 뭉클한 감동이 밀려와 가슴이 벅차고 눈물도 찔끔 나왔다.

주위는 사방이 탁 트여 멀리 아래까지 바라볼 수 있고 골짜기에서 바람이 세게 불어왔다. 크게 숨을 쉬며 바람을 온몸으로 맞으니, 성취감도 느껴지고 순례길을 걷고 있다는 실감이 났다. 순례자들은 감격스러운 표정으로 기념사진을 서로 찍어주며 감동의 마음을 나눴다.

바람을 맞으며 거대한 순례 행렬 조형물을 바라보니 가슴 벅찼다.

각국 다양한 순례자들과 앞서거니 뒤서거니 하며 다시 걸었다. 우리나라 순례자도 많이 만났다. 오늘 목적지 푸엔테 라 레이나에 도착하자 기온이 점점 낮아지며 바람까지 심하게 불어 추웠다. 샤워로 뒤집어쓴 먼지를 닦아내니 개운했지만 날씨가 추워 머리가 잘 마르지 않았다. 그래도 배가 고파 모자 하나 뒤집어쓰고 식당을 찾아 나섰다.

브레이크타임이라 대부분 식당은 닫혀 있고 겨우 영업하는 식당을 찾았지만 실내에는 자리가 없다. 머리도 젖고 맨발에 샌들만 신은 나는 아무리 배가 고파도 추운 야외에서 먹을 엄두가 도저히 안 났다.

덜덜 떨며 다시 거리를 헤매다 영업중인 식당을 찾았지만 역시 자리가 없었다. 다른 식당을 찾아 나설 힘도 없고 이미 몸이 꽁꽁 얼었고 밖은 추워서, 자리가 날 때까지 기다리기로 했다. 실내에서 기다려도 괜찮다고 해서 다행이었다.

조금 기다리니 예약이 취소되었는지 직원은 예약석이라는 푯말을 치우고 우리 보고 앉으라고 했다. 우리는 지치고 배가 고픈 상태인데 메뉴판은 사진도 없고 스페인어로만 되어있어 그냥 아무거나 주문했다.

말은 안 통했지만, 직원은 순례자인 우리에게 친절히 대해주었다. 다행히 주문한 음식은 맛있었다. 포도주까지 마시고 디저트로 푸딩과 커피까지 마시니 살 것 같았다.

몸도 따뜻해지고 배도 부르니 마을을 둘러볼 마음의 여유가 생겼다. 오래된 낡은 건물, 좁은 골목. 돌로 된 길바닥은 중세 느낌 그대로다. 마을과 무너져가는 성당을 구경한 후 슈퍼마켓에 들러 내일 아침에 먹을 음식을 사서 알베르게로 돌아왔다. 알베르게 건물은 낡았지만, 식탁이 있는 공용 공간도 넓고 주방도 사용할 수 있어 음식을 만들어 먹는 순례자들이 많았다.

그곳에서 대학교 졸업 이후 처음 본다는 남편의 후배 부부를 만났다. 남편은 반가워했다. 그 부부는 순례 일정이 빠듯해 시간적 여유가 없어 무리해서 걷느라 힘들다고 한다. 모든 순례자는 자기 상황과 일정에 따라 다양한 방식으로 순례길을 걷는다.

스페인 산티아고 순례길을 가자는 남편의 제안에 '오케이' 하고 은퇴까지 선언하고 나섰다. 걷다 보면 순례 의미도 다가오고, 생각이 조금씩 변화할 거라고 기대했는데, 여전히 배고픈 것 못 참고, 맛있는 음식에 웃음 짓고, 포만감에 행복해하는 모습에서 달라진 게 없다.

이 많은 순례자 가운데 나처럼 특별한 목적이나 이유도 없이 순례에 나선 사람이 얼마나 될까? 모든 짐을 넣은 배낭을 택배로 보내고, 가볍게 걸어서 힘이 덜 들기 때문일까? 아직 순례 초반이고 며칠 안 지났으니 더 걷다 보면 답을 얻을 수 있겠지.

우리가 머물렀던 공립 알베르게(기숙사)는 낡았지만, 주방을 사용할 수 있고 쉴 공간도 여유 있어 순례자에게는 편안하고 좋은 숙소다.

길들인 등산화와 발목 통증 (4월 13일 목)

푸엔테 라 레이나 puente la reina ~ 에스테야 Estella

오늘도 컴컴한 새벽 6시경 출발했다. 기온이 내려가 쌀쌀하고 한참을 걷도록 해가 나지 않아 손과 뺨이 시렸다. 해가 나면서 기온이 올라가 겉에 입고 있던 패딩을 벗고, 강한 햇볕을 가리려 챙모자와 선글라스를 썼다.

그러나 마을에 들어서 건물 사이 그늘로 가면 갑자기 기온이 내려가 겨울처럼 추워지며 찬 바람이 쌩쌩 불었다. 옷 입고 벗기를 끝없이 반복했다. 겨울옷부터 여름옷까지 순례자의 차림새는 가지각색이다.

구름이 많기는 하지만, 내가 좋아하는 파란색 하늘은 가슴이 두근거릴 만큼 예뻤다. 파란 하늘을 바라보면 가슴이 뻥 뚫리는 것 같다.

어느 마을을 지나는데 길에 간단한 간식과 물이 놓여있었다. 배낭에 물과 간식이 있지만, 이것도 추억이라 생각하며 물과 빵 한 조각을 집고 동전을 기부금 통에 넣었다.

어느 순간부터 왼쪽 발목 뒷부분이 등산화에 눌리는 느낌이 들며 아프기 시작했다. 신경이 눌리는지 머리끝까지 날카로운 통증이 이어졌다. 몇 개월 전에 사서 길들인 등산화가 문제를 일으키리라고 전혀 생각지 못했다. 등산화를 벗었다 다시 신고 끈을 이리저리 묶어보았지만, 통증은 사라지지 않았다. 발을 끌다시피 걸었다. 숨을 크게 쉬었다. 오르막에서 발목은 더욱 아팠지만, 어찌할 방법도, 아픈 이유도 알 수 없었다.

하늘을 올려다보았다. 파란 물이 떨어질 듯한 파란색은 위안을 주지만 발목 통증은 계속되었다. 더는 못 참겠다 싶을 즈음 마을이 나타났고 카페를 찾아 들어가 '카페 콘 레체'(우유 넣은 커피)에 설탕을 넣어 달게 마시며 쉬었다.

나에게, 설탕을 넣은 달콤한 '카페 콘 레체'는 순례 상징이다.

한국에서는 아메리카노만 마셨는데 순례길에서는 내 몸이 단 카페 콘 레체를 원한다. 다시 힘을 내서 일어섰다. 발목은 계속 아팠지만, 끈을 묶고 풀기를 반복하고 절뚝거리며 걷다 보니 어느새 오늘의 목적지 에스테야 이르렀다. 걸은 거리는 공식적으로 20km이지만, 굽이굽이 도는 순례길은 공식 거리보다 먼데다, 발목이 아파서인지 무척 피곤했다

에스테야 역시 아름다운 강을 끼고 있고, 오래되어 보이는 건물이 여럿 보였다. 과거에는 번성했음을 말하는 거대하고 위엄 있는 성당이 인상적으로 다가왔다.

에스테야 성당은 오래되고 낡았지만 거대하고 웅장했다.

숙박료 7~15유로 정도 비용으로 하룻밤을 머물며 쉴 수 있는 스페인 알베르게는 순례자들에게는 고마운 숙소다. 이런 숙소가 있어 숙박비용에 대한 큰 부담없이 긴 시간 순례할 수 있고 또 그 덕분에 순례길 주변 상권과 경제가 돌아가니 지역과 순례자 모두에게 좋은 제도라는 생각이 든다.

오늘도 공립 알베르게(Aterpe Munipala)에서 묵었다. 대부분 공립 알베르게와 마찬가지로 이곳도 자유롭게 사용할 수 있는 주방이 있어 식사를 만들어서 먹기로 했다. 근처에 큰 슈퍼마켓(DIA)이 있어서 가보았더니 전자레인지용 볶음밥과 홍합밥(냉동 빠에야)을 팔기에 얼른 샀다. 내일 아침밥과 점심 도시락까지 싸기 위해 빵, 치즈, 살라미, 토마토, 샐러드, 바나나, 오렌지 등 잔뜩 장을 봤다.

등산화가 말썽을 일으켜 걷는 내내 발목이 아프고 힘들었지만, 채소와 과일, 홍합밥, 볶음밥까지 먹고 배부르니 언제 고통스러웠냐 싶게 행복감이 밀려왔다.

나는 순례길에서도 사소한 일에 감정이 이랬다저랬다 하는 변덕스러운 평상시와 다를 게 없다. 그러나 저러나 내일도 등산화가 말썽이면 어떻게 해야 할지 걱정스럽다.

파란 하늘은 언제나 내게 큰 위로가 된다.

남편과 결별하고 싶었던 날 (4월 14일 금)

에스테야 Estella ~ 로스 아르코스 Los arcos

등산화를 신으면 발목이 아파서 걸을 생각 하니 까마득했고, 비까지 예보돼 있어 샌들을 신기도 어려웠다. 오늘따라 남편은 새벽 5시부터 사그락거리며 뭘 하는지 침대에서 움직였고 그 소리는 좁은 알베르게에 크게 울렸다. 나는 창피하기도 하고 다른 사람에게 미안해서 신경이 곤두섰다.

우리 둘의 짐을 남편 배낭에 넣어 택배 보내고, 걸으면서 필요한 것만 내 배낭에 넣어 남편이 메고 걷는다. 나는 무거운 배낭을 안 메고 걸어 몸은 편하지만, 마음은 그렇지 않다. 내가 생각했던 순례자의 모습은 이런 게 아니었다.

하루만 이용한다던 배낭 택배는 이틀, 사흘로 늘어났고 어쩌다 보니 매일 이용하고 있다. 아침마다 남편이 배낭 두 개에 짐을 나눠 싸다 보니 시간도 오래 걸리고, 내가 필요한 게 있으면 어느 배낭에 있는지 남편에게 물어봐야 한다. 또 빈 몸으로 걷는 내가 무언가 부족한 사람처럼 느껴지는 이런 상황이 짜증스럽다.

새벽에 출발하는 순례자들은 다른 순례자를 방해할까 봐 모든 짐을 일 층 로비로 들고 내려와 챙겼다. 함께 짐을 싸던 순례자들은 준비를 마치고 출발했다. 그런데 남편은 오늘따라 짐을 넣었다 꺼내기를 반복했고, 멀뚱멀뚱 지켜보는 나는 그 시간이 너무 길게 느껴졌다.

비는 내리고, 발목은 아프고, 남편에 대한 불만으로 '자기 짐 각자 챙기고, 내 배낭은 내가 멜 테니, 당신 배낭은 택배 보내든 메고 가든 맘대로 하라'는 말이 목구멍까지 올라왔다.

부슬거리던 비는 더 내렸다. 내 얼굴은 이미 폭발 직전 기색이 역력했겠지만, 그 말을 하는 순간 우리 분위기와 관계는 엉망이 될 게 분명해 입을 꾹 닫고 걷기만 했다.

예민해져 폭발 직전이었던 나는 꾹 참고 말없이 걸었다.

걷기에는 치유 효과가 있는지, 한참 걷다 보니 나도 모르게 마음이 조금씩 가라앉았다. 잠시 후 비가 그쳤고 구름이 잔뜩 끼기는 해도 파란 하늘이 얼핏 보이기 시작했다.

생각으로 상상 속 연극을 연출하며, 남편을 머슴이라고 설정했다. 마님으로 설정한 나는 배낭을 안 메는 게 당연하고, 남편은 재수 없는 머슴이라 마님 말도 안 듣고, 머슴 주제에 무엇이든 자기 마음대로 한다고 대본을 쓰고 나니 마음에 평화가 왔다. 또 새벽 일찍부터 바스락거렸던 남편 행동도 여유 있게 받아들이게 되었다.

그제야 내 눈치를 살피며 걷고 있는 남편 얼굴이 눈에 들어왔다. 머리가 허옇고, 희끗희끗한 수염이 덥수룩한 모습이 갑자기 안쓰러워 보였다. 자기 딴에는 부인 편하게 걷게 해 주겠다고 여러모로 애를 쓰는 거라는데.

마을에 들어서니 바(bar)가 보였고, 피곤을 풀어줄 카페 콘 레체(우유 넣은 커피)를 주문하고 설탕을 넣어 달콤한 커피를 마시며 서로 마주 보았다. 그리고 누가 먼저랄 것 없이 피식 웃었다. 부글거리던 감정은 어디론가 사라졌다.

비는 그쳤지만 바람은 세차고 끈질기게 불어 걷기 힘들었다. 등산화는 끈을 반만 느슨하게 묶고 걸으니, 평지는 걸을 만했다. 다행히 오늘 구간 후반부는 끝없는 들판이다. 로스 아르코스에 도착했을 때, 바람은 세고 추웠지만, 하늘만큼은 파랗고 예뻤다.

그동안 이용했던 공립 알베르게는 저렴하면서도 시설이 좋았는데 이곳 공립 알베르게는 침대 간격도 좁고 침대 사이 칸막이도 없어 당황스러웠다. 순례자들은 자기 배낭과 짐이 다른 사람 통행에 방해되지 않도록 신경 썼다.

봉사자들은 나이가 많지만 활기차고 친절하다. 내일 갈 알베르게 전화 예약 등 여러 도움을 받았다. 남편은 빨래집게도 많다며 좋아한다.

근처 식당에서 점심을 사 먹고, 문을 연 식료품점에서 오렌지와 바나나를 샀는데 비쌌다. 그리고 오렌지를 만졌다고 주인의 날카로운 한마디까지 들었다. (작은 가게에서는 손님이 물건을 만지지 못하게 하는 곳이 많다) 몸도 마음도 힘든 하루였다.

알베르게에서 보이던 로스아르코스 성당 일부

그놈의 타파스가 뭐라고 (4월 15일 토)

로스 아르코스 Los Arcos ~ 로그로뇨 Logrono

신발도 불편하고 감기까지 걸린 상태로 27km 이상 걸으며 고생했다. 구름이 잔뜩 낀 흐린 날씨에 바람도 거셌다. 뼛속을 파고드는 찬바람에 뼈마디가 시리고 얼굴은 아렸다. 아침에는 기온이 5℃까지 떨어졌다. 레깅스를 내복처럼 바지 속에 입고 가진 모든 상의를 입어도 추웠다.

해가 나타나기 시작하면서 기온은 올랐지만 바람은 여전했다. 산을 오르느라 땀이 나서 잠시 겉옷을 벗었는데 그때 찬바람이 불고 몸이 오싹하더니 감기가 더 심해졌다. 무엇보다도 멈추지 않고 부는 센바람에 적응하기 어렵다.

날씨가 이 정도인 줄 몰랐다. 남편이 배낭을 택배로 보내는 줄 미리 알았더라면 두꺼운 옷을 가져왔을 텐데. 순례길을 떠나기 전에 배낭 택배에 관해 아무 말 하지 않아 나는 짐 무게 줄이기에만 몰두해 두꺼운 옷을 챙겨 오지 않았다.

우리나라와는 규모가 다른 넓은 들판을 한참 걷다 보면 마을이 나타났고 마을을 벗어나면 또 끝없는 들판이 이어졌다.

우리나라 서낭당 같은 곳을 보았다. 간절한 마음을 담았을 리본이 주렁주렁 매달려 있었다. 나라를 불문하고 사람들 마음은 모두 같다는 생각이 든다.

비가 오락가락하던 하늘에 커다란 무지개가 걸렸다. 무지개는 큰 위안이 되었고 나를 응원하는 것 같았다. 지금까지 살면서 본 무지개 중 최고다.

하늘에 걸린 크고 아름다운 무지개는 힘든 나를 위로했다.

오늘 도착한 로그로뇨는 큰 도시라 자동차도 많고 쇼핑가도 크고 사람도 많아 활기 넘치고 북적거린다.

저녁이 되면서 기온이 더 떨어지고 바람까지 차서 한겨울 같다. 감기 때문에 그냥 누워있고 싶지만, 저녁을 사 먹기로 해서 알베르게(Logrono Pilgrims Hostel)를 나섰다. 습관처럼 성당에 들르고, 내일 빌바오로 갈 계획이라 버스터미널 위치 확인하고 나니 몸이 부서질 것처럼 아프고 힘들었다.

나는 간단히 먹고 들어가서 쉬고 싶은데, 남편은 팜플로나에서 먹었던 타파스 몇 가지로는 미련이 남는지 또 '타파스 순례'를 하자고 했다. 그런데 대부분 식당은 브레이크타임이라 문이 닫혀 있었고 배고픈 우리는 영업 중인 바(bar)에서 포도주 한 잔과 타파스를 가볍게 먹었다.

남편이 먹어보고 싶어 하는 타파스를 파는 식당의 저녁 영업 시작을 기다리며 거리를 구경했다. 감기로 몸이 아픈 나는 거리 구경도 재미없고 지쳐서 그만 돌아다니고 식당 앞에서 기다리자고 했다. 그러나 가만히 서서 기다리니 더 춥고 머리는 깨질 듯 아파왔다. 몸이 아픈 것과 별개로 알 수 없는 화도 치밀었다.

시간이 흐를수록 기온은 더 떨어지고 바람도 거셌다. 몸으로 찬바람을 버텨내다 더는 참을 수 없어, 남편을 거리에 두고 혼자 알베르게로 돌아와 감기약을 먹고 그대로 쓰러져 잤다.

한숨 자고 보니 새벽이다. 기침이 많이 나오고 목도 심하게 아프다. 이제는 정말 각자 다니자고 남편에게 말해야 할지 진지하게 고민된다.

몸 상태가 좋았다면 맛있게 먹었을 고기와 새우가 얹어있던 타파스

쉬어 가기 - 두 번째 충전 시간

순례길 표지석

달콤한 휴식과 화해 (4월 16일 일)

감기로 컨디션도 안 좋고 남편과 어색한 분위기였지만 계획대로 빌바오로 가기 위해 다른 순례자들과 비슷한 시각에 알베르게(기숙사)에서 나와 버스 터미널로 향했다. 오전 9시가 조금 넘어 빌바오에 도착했다.

버스터미널에서 예약한 호텔(Bed 4U)까지 걷기에는 애매한 거리였다. 남편은 우버를 부르려 했지만, 앱이 작동되지 않았다. 그냥 걸어가자고 제안했던 나는 기다리다 지쳐 '시간 낭비한다'라고 비난했다. 그 순간 남편은 폭발했고 냉랭했던 우리 관계는 위태로워졌다.

결국 우버는 부르지 못했다. 남편은 화나고 자존심도 상해 씩씩거리며 혼자 앞서 걸었고, 나도 화를 억누르며 뒤쫓아 갔다. 체크인은 오후에 가능해서 짐만 맡기고 거리로 나섰지만 둘 다 날카로운 상태라서 멀찍이 떨어져 걸었다.

이번에는 내가 앞서서 빠르게 걸었다. 남편과 거리가 점점 멀어지는 게 느껴졌고 아무 데나 발길 닿는 대로 걸었다. 안 보이던 남편은 어느 틈에 쫓아오며 나를 불렀지만 나는 무시했다. 이제는 정말로 각자 다니자고 말하고 싶었다.

한참 걷다 보니 마음이 조금씩 가라앉았다. 나를 따라잡은 후 몇 발짝 뒤에서 말없이 따라오던 남편은 영업 중인 바(bar)를 가리키며 들어가자고 했다. 내 이성은 남편 제안을 받아들이라고 속삭였고, 감정을 누르고 못 이기는 척하며 바(bar)로 들어갔다.

커피와 타파스 몇 가지를 주문했다. 따뜻한 음식이 뱃속에 들어가니 날카롭던 신경들이 누그러들었다. 마음에 여유가 생기니, 나를 끝까지 따라오며 화해하려 애쓴 남편의 노력도 눈에 들어왔다. 함께 음식을 먹으며 편안해진 우리는 자연스레 손을 잡고 빌바오 거리로 나섰다.

빌바오는 고풍스러우면서도 아기자기하고 예뻐서 다른 도시와 또 다른 느낌이 든다. 무엇보다 날씨가 좋고 따뜻했다. 햇볕 아래를 걸으니 그동안 순례길에서 추위에 떨었던 몸이 녹는 것 같았다.

빌바오에는 구겐하임 미술관과 거대한 거미 조형물이 있다. 그걸 보려고 여기까지 온 거다. 미술관 입장료는 현장 구매 18유로보다 2유로 싼 인터넷으로 예매했다.

우리 목적은 구겐하임 미술관 건물 그 자체를 보는 거라 예약 시간보다 일찌감치 도착해서 미술관 주변부터 구경했다. 멀리 구겐하임 미술관 앞에 전시된 강아지가 보이자, 내 가슴은 두근거렸다.

쇠퇴해 가던 철강 도시 빌바오를 살렸다고 하는 구겐하임 미술관은 옆으로 흐르는 강과 조화를 이루며, 입이 딱 벌어질 크기와 위용으로 존재감을 드러냈다. 근처에는 미술관을 구경하거나 강가를 산책하는 사람들로 붐볐다.

빌바오 상징인 구겐하임 미술관과 거미 조형물을 보니 가슴이 마구 뛰었다.

댄 브라운 소설 '오리진'을 읽고 궁금했던 거미 조형물과 구겐하임 미술관을 내 눈으로 직접 확인하니 탄성이 절로 나오면서도 한편으로는 비현실적으로 느껴졌다. 소설을 읽는 동안, 내가 빌바오에 정말 올 거라고 생각 못 했다. 거미 조형물은 생각했던 것 이상으로 크고 괴기스러웠다.

거미 조형물은 생각했던 것보다 크고 괴기스러워 놀랐다.

빛을 반사하는 곡면으로 복잡하게 연결된 구겐하임 미술관의 독특한 외관은 내 상상과 기대를 능가했다. 미술관과 거미 조형물을 바라보는데 가슴이 막 떨렸다. 건물이 살아 움직일 것 같았다.

구겐하임 미술관이 건립되었을 때, 자신의 그림이 건물 장식품이 될 거라는 이유로 많은 화가들은 전시를 거부했다고 한다. 구겐하임 미술관이 오늘날 이렇게 많은 사람을 불러 모으는 것을 본다면 그 화가들은 후회할 것 같다는 생각이 들었다.

입장 시간을 기다리며 미술관 카페에서 오렌지 주스와 타파스를 샀는데 야외 테이블에 자리가 없어 근처 적당한 돌에 앉아서 먹으려고 쟁반을 내려놓았다. 그때 테이블에 앉아 식사하던 사람이 음식을 입에 막 넣으며 오라고 손짓했다. 자기는 다 먹었으니 앉아서 먹으라며 일어섰다. 낯선 사람의 배려가 고마웠다.

시간이 되어 배낭을 맡기고 전시장으로 들어갔다. 전시된 그림을 돌아보았지만, 마음이 들떠서 잘 다가오지 않았다. 내 눈길은 미술관 안으로 들어오는 햇빛과 조화를 이루는 건물 자체에 끌렸다. 아래위층 연결되어 뚫린 공간으로 들어온 햇빛은 건물에 드리워지는 그림자와 조화를 이루며 환상적이면서도 아름다웠다. 넋을 놓고 한참을 바라보았다.

쇠로 된 거대한 조형물도 내 눈길을 사로잡았다. 어떠한 보조 장치도 없이 휘어져서 서 있는 거대한 쇳덩어리 판은 놀랍고 신기했다. 빌바오가 철강 도시였음을 상징적으로 알려주는 전시물이라는 생각이 들었다.

공학적 설계 덕분에 커다란 쇠 판이 휘어진 채 혼자 설 수 있다고 한다. 그에 대한 설명과 영상도 있지만, 스페인어라 그림만 대충 보았다. 강철 전시물은 미술관 건물과 더불어 강한 인상과 감동을 남겼다.

미술관을 나와 강을 따라 걸어서 주비주리교에 이르렀다. 기둥 없는 곡선 구조의 특이한 다리 형태에 저절로 감탄이 나왔다. 다리 위아래를 오르내리며 아름다운 다리를 감상했다.

기둥이 없고 아름다운 곡선으로 되어있는 신비한 주비주리교

다리를 구경하고 강을 따라 산책하거나 의자에 앉아 느긋하게 햇볕을 쬐는 사람이 많았다. 소설 속 한 장면 안에 들어온 느낌이다. 빌바오는 강한 철과 아름답고 부드러운 예술을 창의적으로 조화시킨 독특한 도시라는 생각이 든다.

호텔(Bed 4U)에서 체크인하고 짐을 찾아 객실로 들어오니 간식과 손 글씨로 쓴 환영 편지가 있다. 숙박비가 싸서 선택한 호텔이었는데 직원들은 성의 있고 친절했다.

일요일이라 대부분 슈퍼마켓이 문을 닫았는데 남편은 어디선가 포도주, 과일, 치즈 등을 사 왔다. 순례길에서는 포도주를 한두 잔 마셨지만, 내일은 걷지 않으니 마음 놓고 한 병을 다 마시자고 한다. 우리는 포도주를 마시며 이야기했다.

남편은 고집이 있어 내 의견을 쉽게 받아들이지 않지만, 내가 하고 싶은 이야기를 실컷 하고 나면 속이 후련하다. 또 남편의 선한 의도를 들으면 이해하려 노력하게 된다. 그래도 늘 화해의 손을 먼저 내미는 사람은 남편이고, 내 잘못도 들춰내지 않는다. 그 점은 고맙다.

'앞으로 순례길을 따로 걷자'라는 말을 입 밖으로 내뱉지 않고 참은 게 다행이다. 산티아고 순례길 두 번째 휴식지 빌바오에서 꿈같은 하루였다.

빌바오 여행 후 다시 순례길로 (4월 17일 월)

몇 년 전부터 마음에 품고 있던 빌바오 구겐하임 미술관과 거미 조형물을 보았으니 죽기 전에 할 버킷리스트 하나를 지웠다.

오늘은 시내 구경을 다녔다. 철길도 건너고 벽이 알록달록하게 색칠된 집을 배경으로 사진도 찍었다. 오늘 다시 간 빌바오 성당은 문이 열려 있어 들어갔다. 순례자는 무료라고 해서 입장료를 돌려받았다. 순례자라서 받는 호의가 고맙고 기분 좋다.

거리에서 교복을 입고 걸어가는 학생들을 보았다. 장난치는 모습이 우리나라 학생과 똑같다. 어떤 학생이 우리에게 손을 흔들기에 나도 흔들었다. 활짝 웃는 장난기 넘치는 녀석이 귀엽다.

타파스, 과일, 채소, 고기 등을 파는 리베라라는 현대화된 시장도 구경했다. 단체 관광객이 타파스를 먹으러 들어오며 북적거렸다. 하지만 우리는 스페인다운 분위기를 즐기며 타파스를 먹기 위해 스페인 전통 바(bar)로 향했다.

바(bar)에서 쾌활한 직원이 만들어 주는 타파스를 먹고 음료를 마시며 유쾌한 시간을 보냈다. 밖으로 나온 후 성당 근처 길바닥에서 순례길 안내표시를 찾았는데 괜히 반가웠다.

호텔에 맡겼던 배낭을 찾아 버스를 타고 로그로뇨로 돌아왔다. 빌바오에서의 달콤한 이틀이 지나고 내일부터 다시 순례길을 걷는다. 순례 의미는 각자 모두 다르고, 정답도 없다고 한다. 며칠 전에 만났던, 순례길을 두 번째 걷고 있다는 순례자는 첫 번째는 은퇴 기념으로 걸었고, 이번에는 자기 삶을 반성하는 의미로 고행길을 자처해 걷는다고 했다.

우리는 순례길에서 이탈하여 여행도 하고, 팜플로나에서는 이틀을 머물렀다. 또 하루 동안 걷는 거리, 정해진 일정도 없다. 나에게 누군가 왜 걷느냐고 묻는다면 아무 말도 할 수 없다. 그래서 나도 다른 사람에게 묻지 않는다. 순례길이 끝나고 나면 이번 여정의 의미가 무엇이었는지 알 수 있겠지.

나는 왜 산티아고 순례길을 걷고 있을까?

3부 새벽, 고요, 하늘, 바람

순례길 표지석

나이 좀 있는 우리 부부의 순례가 가능한 이유 (4월 18일 화)

로그로뇨 Logrono ~ 나헤라 Najera

순례길 날씨는 일교차가 커서 적응하기 어려운데, 바람이 세거나 비가 내리는 날 체감 온도는 더 내려간다. 나는 그동안 추위와 감기로 고생했는데 남편은 도저히 안 되겠다며 지퍼형 후드를 사주었다. 한국에서는 그 가격에 못 산다는 말에 마지못해 샀는데 막상 입으니 따뜻해서 살 것 같다.

걷는 데 적응하면 배낭 택배를 이용하지 않고 각자 배낭 멜 거라는 남편 말에 짐을 늘리지 않으려 버텼는데 후회된다. 미련스럽게 군 것 같다.

오늘 새벽에 걷다 문득 뒤돌아보니 하늘이 붉게 물들며 해가 떠오르고 있었다. 이토록 붉은 해가 아름답게 떠오르는 모습은 처음 본다. 뜨거운 무엇인가 속에서 올라오며 가슴이 벅찼다.

걷는 내내 포도밭만 보였다. 연두색 잎이 조그맣게 달려있는데 여름이 지나면 포도송이가 주렁주렁 달린다고 생각하니 자연이 대단하게 느껴졌다.

어느 포도주 공장 앞에 순례자 포토 존이 있다. 순례자들에게 기념사진 촬영을 유도하며 회사를 광고하는 기발한 아이디어에 감탄하며 우리도 사진을 찍었다.

내가 좋아하는 파란색 하늘을 질리도록 보며 걷고 또 걸었다. 순례길 곳곳에 다양한 형태의 수도가 있는데 로그로뇨에서 본 수도는 순례길 표시가 새겨져 있어 멋지다.

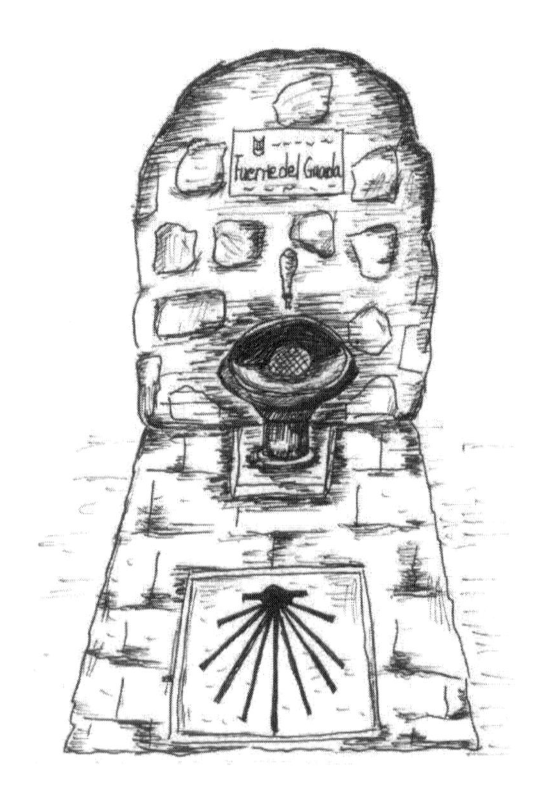

순례길 표시가 있는 오래돼 보이는 멋진 수도는 눈길을 끌었다.

60대 초반인 남편과 50대 후반인 내가, 스페인어는커녕 영어도 잘 못 하는데 이렇게 스페인 산티아고 순례길을 걷고 있다는 사실이 문득 신기하게 느껴졌다.

남편은 인터넷과 구글이 우리를 자유롭게 해 준다며 핸드폰 앱을 앞세워 순례길과 여행을 이끈다. 매일 숙소 예약, 배낭 택배, 필요한 물건 구매, 버스표 예매, 박물관이나 미술관 예약 등을 다 해낸다. 적극적으로 스마트기기를 활용하며 시대의 흐름을 유연하게 잘 따라간다.

순례길에 적응하면 이용하지 않을 거라고 하면서도 남편이 매일 배낭을 택배 보내는 바람에 나는 혼란스럽고 불만스럽지만, 남편이 대단하다고 인정할 수밖에 없다.

얼마 전에 만났던, 남편 후배 부부는 우리의 빌바오 여행 계획을 듣고 부러워했다. 그들은 자식들이 비행기표와 기차표를 예매해 주어서 순례를 시작했고, 일정이 빠듯하고 스마트기기 사용도 자유롭지 않아 빌바오 여행은 못 하겠다며 아쉬워했다.

남편도 대단하지만, 순례길에서 친절한 사람들의 도움도 많이 받았다. 데이터만 쓸 수 있는 우리 핸드폰 대신 전화를 걸어 예약해 준 알베르게 봉사자들, 슈퍼에서 과일 사는 것을 도와준 계산원, 배낭을 풀밭에 놓으면 안 되는 이유를 설명해 준 순례자, 길을 잃고 두리번거릴 때 다가와 방향을 알려준 동네 사람, 자리가 없어 돌에 앉으려고 할 때 테이블을 내준 사람, 영어 안내문과 소책자, 책갈피 등을 챙겨

주었던 박물관 직원, 미술관 직원, 성당 봉사자, 파리 드골 공항 관계자, 카페 직원 등등.

또 사회에서 각자 제자리를 잡은 아들과 딸도 고맙다. 모두 덕분에 내가 스페인 산티아고 순례길을 걷고 있다.

오늘 걸어야 할 로그로뇨에서 나헤라까지 29km라서 일찍 출발했지만, 대부분 평지이고, 날씨도 좋고, 바람도 세지 않아 생각보다 일찌감치 도착해서 하루를 잘 마무리했다.

걷고 걸어도 어린 포도나무가 줄지어 선 포도밭만 보이는 날이다.

남편의 변화 (4월 19일 수)

나헤라 Najera ~ 산토 도밍고 데 라 칼사다 Santo Domingo de la calzada

어두컴컴한 새벽 거리로 나섰다. 고요 속에 우리 발걸음 소리와 새소리만 들렸다. 새들이 그렇게 다양한 소리를 내는지 순례길을 걸으며 처음 알았다. 걷다 보면 주위가 점점 밝아진다. 눈에 보이는 것이 많아지면 귀에 들리는 것은 줄어든다. 뒤돌아보면 해가 떠오르고 있다.

어제와 다른, 오늘 떠오르는 해를 넋을 놓고 한참 바라보았다.

어제도 해가 떠오르는 것을 보았지만, 장소, 날씨, 구름이 달라져서인지 어제와 또 다른 모습이다. 아름다워서 넋을 놓고 한참 바라보다 겨우 발을 옮겼다.

넓은 평야를 걸었다. 초록색 끝없는 밀밭, 새싹이 자라기 시작하는 포도밭, 노란 유채꽃밭이 반복되었다. 내가 좋아하는 파란 하늘, 눈물 나도록 푸르고 시린 파란색이 지평선까지 계속 열렸다.

사방은 고요했다. 우리는 고요 속에서 말을 점점 잊었고 생각도 잊었다. 바람이 흘러가는 소리만 들렸다. 부활절 휴가 기간이 끝나서인지 순례자가 줄어들었고 순례길은 좀 더 차분해졌다.

순례자들 모두 자기 방식대로 걷는다. 우리는 걷다가 지칠 즈음 나타나는 마을 바(bar)에 들어가 카페 콘 레체를 마시거나, 적당한 공원이 보이면 신발과 양말까지 벗고 쉬며 준비한 간식을 먹는다.

남편은 갈림길에서 안내 화살표가 바로 안 보이면 조금도 망설이지 않고 직감대로 방향을 잡고 걸었다. 대부분 그 길이 아니라 걸어간 만큼 되돌아와야 했다. 몇 차례 경험 후, 나는 갈림길에서 멈추어 순례길 표시를 찾거나 구글 지도로 갈 방향을 확인했다. 종종 다른 방향으로 간 남편을 불렀다.

오늘은 갈림길에 이르자, 남편은 자기 생각대로 해왔던 습관을 고쳐야 한다며 멈추었다. 두리번거리며 순례길 방향 표시를 찾아 확인하더니 걸음을 옮겼다. 남편으로서는 정말 큰 변화다.

응원 메시지 같은 순례자 조형물을 보면 새로운 힘이 난다.

23km 평지를 무난하게 걸어 목적지 산토 도밍고 데 라 칼사다에 도착했다. 우리가 쉬어갈 공립 알베르게(Albergue Casa de la cofradia del Santo)는 넓고 시설도 좋았다. 그런데 택배로 보낸 배낭이 도착하지 않았다. 배낭을 분실한 건 아닌지 불안했다. 샤워, 빨래 등 아무것도 못 하고, 오후 계획도 바꿨다.

일단 근처 슈퍼마켓에서 장을 봐서 연어 샐러드를 만들고, 감자칩과 치즈 케이크를 안주로 포도주 한 병을 다 비웠다. 그러고 나서야 배낭이 도착했다. 세상은 계획한 대로 돌아가지 않는다.

저녁에 성당을 보러 나섰다. 5유로 입장료에 성당 두 곳, 종탑, 기도실을 볼 수 있다. 산토 도밍고 데 라 칼사다 성당을 먼저 보았다. 내부는 화려하고, 개인 성당도 다채롭고, 회랑에는 전시물이 많다. 특히 돌과 타일을 이용한 모자이크로 섬세하면서도 화려하게 벽을 장식한 지하 방을 보니 감탄이 절로 나왔다. 예수를 안고 있는 성모 마리아 모습은 아름다웠다.

130여 개 돌계단을 빙빙 돌아 올라 종탑 꼭대기에 도착하니 머리 바로 위에 종이 보였다. 가까이서 종을 보니 성당의 속살을 들여다보는 기분이었다. 종 아래에서 순례자들은 기념 사진을 찍었다. 종탑 꼭대기에서 내려다본 들판과 어우러진 집들이 예뻤다.

계단에는 줄을 잡아당겨 종을 치던 시대에 뚫어 놓은 구멍이 그대로 남아있다. 그 후 종을 자동으로 울리게 했던 톱니바퀴와 기계 장치들도 전시되어 있어 흥미로웠다. 현재는 녹음된 종소리를 이용하는 듯했다.

기도실도 보고, 산 프란시스코 성당도 구경했다. 순례길에서 산토 도밍고 데 라 칼사다에서 묵게 된다면 성당 투어는 꼭 해보라고 추천한다.

내일 걸어야 할 방향을 알려주는 순례길 표시를 확인하고 알베르게로 돌아왔다. 밤 9시가 되도록 햇빛은 쨍쨍했고 사람들은 여전히 거리를 메우고 활발히 움직이고 있다.

종탑 꼭대기에 올라 바로 머리 위에 매달린 종을 보니 신기했다.

스페인은 포도주의 나라 (4월 20일 목)

산토 도밍고 데 라 칼사다 Santo Doming de la Calzada ~ 벨로라도 Belorado

새소리를 들으며 고요한 마을을 빠져나왔다. 우리가 머물렀던 알베르게는 시설, 편리성 모두 최고였다. 이용해 보니 대체로 사립보다 공립이 더 좋았다.

남편과 공립과 사립 알베르게 장단점을 비교하며 걷는데, 하늘 전체가 불그스름하게 변하며 해가 떴다. 오늘도 감동적인 장관이 연출되었고, 해가 뜨는 모습은 어제, 그제와 또 달랐다. 그때 문득 지나온 알베르게에 관해 이야기하는 게 별 의미 없게 느껴졌고 나는 입을 다물고 조용히 걸었다.

끝없이 이어지는 직선 도로에서 뜨겁게 내리쬐는 햇볕을 받으며 걷고 또 걷는데 힘들고 지루했다. 며칠 전 뼈가 시리다고 투덜댔던 세찬 바람이 그리웠다.

무엇보다 자동차들이 쌩쌩 달리는 차도 옆을 계속 걸어야 해서 피곤했다. 그동안 고요함에 익숙해져서 물류 운송 대형 트럭이 지나다니는 소리가 천둥처럼 들렸다.

어느 마을에 이르니 푸드 트럭이 있어 늘 마시던 카페 콘 레체를 주문했다. 그런데 맛이 너무 없었다. 카페 콘 레체가 주던 위로도 없는 실망스러운 날이다.

또 걸었다. 이번이 세 번째 순례길이라는 순례자를 만났다. 하루 이동 구간도 짧게 정해 천천히 걸으며 길에 핀 꽃도 보며 즐긴다고 했다. 순례길 어떤 매력이 세 번씩이나 걷도록 만드는지 다가오지 않는다. 그분은 우리 사진을 멋지게 찍어주었다.

뜨거운 길을 걸어 오늘의 목적지 벨로라도에 도착했다. 쇠퇴해 가는 동네지만 성당 내부를 보니 번성했던 과거를 말하는 것 같았고 16세기에 만들었다는 종탑은 의외로 소박했다.

다인실과 가격 차이가 별로 안 나서 욕실까지 있는 사립 알베르게(Albergue Caminante) 이인실에서 머물렀다. 다른 사람 신경 안 써도 되고, 짐도 마음대로 펼쳐놓고 편하게 쉴 수 있었다. 빨래를 널 수 있는 공간도 충분했다.

그동안 우리는 스페인 음식 이름도 모르고 번역기를 이용해도 무슨 음식인지 알기 어려워 두꺼운 메뉴판을 보며 주문할 때마다 애를 먹었다. 그럴 때는 '오늘의 메뉴'를 선택하면 무난하다는 사실을 얼마 전에 깨달았다. '오늘의 메뉴'는 두 가지 음식, 음료, 디저트로 구성되어 있다. 한정된 종류의 음식 중에 선택하면 되기 때문에 주문이 쉽고 단품으로 사는 것보다 경제적이다.

브레이크타임으로 문 닫기 전 가까운 식당에 가서 '오늘의 메뉴'를 주문했다. 나는 샐러드와 생선, 남편은 야채수프와 돼지고기를 선택했다. 음료로 포도주를 선택했더니 포도주 한 잔이 아니라 한 병이 통째로 나왔다.

광장에 있는 식당 야외 테이블에 앉아 여유롭게 포도주를 마시며 점심 겸 저녁을 먹었다. 유난히 지루하고 덥고 자동차 소음에 시달렸던 하루의 피로가 풀리는 것 같다. 어제에 이어 오늘도 포도주 한 병을 마셨다. 스페인 포도주는 싸면서도 맛이 좋다. 스페인은 포도주의 나라다.

두 번째 음식이 나오기도 전에 포도주를 여러 잔 마셨다.

점점 투명해지는 나 (4월 21일 금)

벨로라도 Belorado ~ 산 후안 데 아르테가 San Juan de Ortega

순례길 하루는 같은 패턴으로 반복된다. 6시경 일어나 아침을 간단히 먹고, 6시 조금 지나 출발해 25km 내외를 걸어 다음 목적지까지 간다. 목적지에 도착하여 숙소 체크인하고, 샤워, 빨래(남편이 담당)하고, 장 봐서 밥을 만들어 먹거나 식당에서 사 먹고, 쉬다가 성당과 마을을 구경한 후 돌아와 짐 정리하고, 글을 써서 블로그에 올린다. 단순한 생활에 시간이 흐를수록 생각이 사라진다.

아침 일찍부터 햇살이 뜨거웠지만 바람이 불어 덥지 않았고 아직 감기가 낫지 않아 바람에 자꾸 움츠러들었다. 나는 가진 옷을 다 껴입고 걷는데 젊은 순례자들은 반 팔 티셔츠에 반바지를 입고 내 옆으로 휙휙 지나 앞서나간다. 남편은 기분이 좋은지 노래를 흥얼거린다. 음치라며 평상시 절대 노래하지 않던 사람인데 마음이 편하고 자유로운가 보다.

오르막에서는 등산화가 발목 뒷부분을 눌러 특히 아픈데 오늘 산을 넘어야 해서 마음을 단단히 먹었다. 다행히 산은 완만했고, 우리나라 산처럼 가파른 오르막과 내리막이 반복되지 않고 바위도 많지 않았다. 그러나 산 규모가 커서 한참을 오르고 내렸다. 산꼭대기에는 스페인 내전 희생자 위령비가 있다. 어느 나라나 아픈 역사를 지니고 있고 역사의 수레바퀴는 저절로 굴러가지 않는가 보다.

산을 다 내려오니 우리가 묵을 수도원 알베르게(Monastery San Juan de Ortega Pilgrims Hostel)가 보였다. 한때 이 수도원에서 살았을 수도자들의 절제된 생활을 상상하니 기분이 묘했다. 그런데 2층 침대의 1층이 너무 낮아 1층을 사용하는 남편은 머리를 수없이 침대에 부딪쳐 걱정스러울 정도다.

수도원 바로 옆에 있는 바(bar)는 브레이크타임 없이 순례자를 위해 영업했다. 우리는 시원한 맥주와 검은 쌀로 만든 순대, 돼지고기, 샐러드를 먹었다. 가격도 저렴하고 맛있다.

순례자를 위한 순대, 돼지고기, 샐러드 한 접시는 저렴하고 맛도 좋은 식사다.

이지역은 알베르게로 이용되는 수도원과 근처 부속 건물 몇 개를 제외하면 슈퍼마켓조차 없다. 점심 식사 후 수도원 옆의 성당을 보고 나오니 더 이상 구경하거나 돌아볼 곳이 없다.

알베르게로 돌아오니 날씨가 갑자기 흐려지며 바람이 세지고 비까지 내린다. 날씨가 이렇게 될 줄 알았다면 후드를 안 빨았을 텐데, 내일 입을 수 있을지 걱정된다. 순례길에서의 생활은 단순하고 원초적으로 된다. 나는 그냥 '특별할 것 없는 인간'이라는 자각과 함께 머릿속은 텅 비어 점점 투명해진다.

두꺼운 벽 안에서 절제된 생활을 했을 수도자들의 체취가 느껴졌던 오래되고 낡은 수도원 알베르게 입구

4부 역동적인 나날들

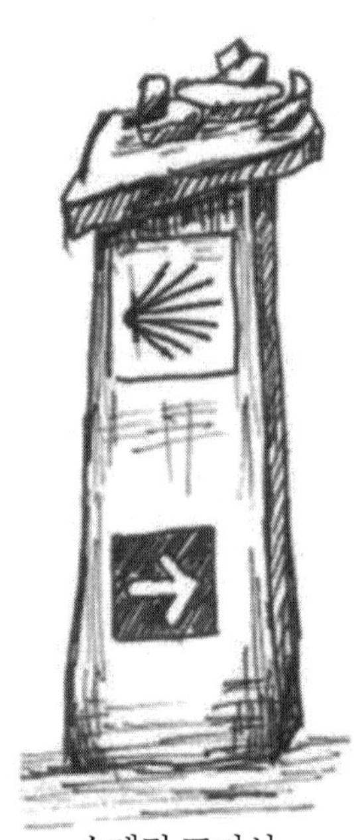

순례길 표지석

어둠 속 비를 맞으며 (4월 22일 토)

산 후안 데 오르테가 San Juan de Ortega ~ 부르고스 Burgos

어제 우리가 머물렀던 지역은 마을이 아니라 슈퍼마켓도 없어 아침 먹거리를 사지 못했고, 걷다가 가장 먼저 나오는 마을 바(bar)에서 사 먹기로 했다. 평상시처럼 6시 전에 일어나 준비하고 밖으로 나섰다.

그런데 비가 내리고 있다. 순간 여러 생각이 머릿속을 스쳤다. 고어텍스 바지를 덧입을까? 판초만 입을까? 조금 기다렸다 늦게 출발할까? 우리는 기본 짐만 들고 나머지는 모두 다음 목적지까지 택배로 보내기 때문에 잘 판단해야 했다.

잠깐 고민한 후 고어텍스 바람막이 위에 판초 우의를 입고 머리에 헤드랜턴을 쓰고 출발했다. 지금 생각하면 무슨 용기였는지 모르겠다.

마을에 있지 않은 수도원 알베르게를 나오니 밖은 가로등 하나 없어 깜깜했다. 비는 추적추적 내리고 길은 산으로 이어졌다. 판초 길이가 짧아 바지가 젖고, 장갑도 젖어 다리와 손이 시렸다. 고어텍스 바지를 입을걸, 조금 있다 출발할걸, 택배 보내는 배낭에 고어텍스 바지가 있는데 비를 맞고 추위에 떨고 있다니 등등 오만가지 생각이 스치며 정체 모를 화가 났다.

첫 번째 마을 아헤스가 보여 반가웠지만, 그곳에는 문을 연 바(bar)

나 카페가 보이지 않았다. 비는 점점 더 쏟아지고 마을을 지나 들판으로 나오니 바람까지 세게 불었다. 해도 늦게 떠서 사방이 어두운데 얼굴로 들이치는 비에 안경 렌즈가 젖어 앞도 잘 안 보였다.

배는 고프고 내 인내심은 한계를 넘어 폭발했다. 비를 맞고 걸으며 남편에게 아무 말이나 막 쏟아내며 화풀이를 해댔다. 물론 그래도 비는 그치지 않았다. 큰소리로 투덜거리며 빗속을 정신없이 걷다 보니 주위가 차츰 밝아지고 비도 잦아들기 시작했다. 그제야 마음이 조금씩 가라앉았다. 때마침 "한 시간 넘게 비 좀 맞았다고 되게 난리네." 라는 남편 말에 머쓱해지며 제정신으로 돌아왔다.

계속 걸었다. 비가 그치고 먹구름이 점점 멀어지며 파란 하늘이 나오기 시작했다. 그 광경은 황홀하고 감동적이어서 언제 화났었나 싶게 저절로 미소가 지어졌다. 비를 맞지 않았다면 그렇게 멋진 하늘을 못 보았을 거다.

10km 정도 또 걸었다. 마을이 나타났고 영업 중인 카페가 보였다. 어둠 속에서 비를 맞으며 강행군했던 우리의 미련함을 위로하고, 허기진 배를 채우려 이것저것 주문했다. 먹으니 살 것 같았다. 특히 문어 꼬치는 부드럽고 맛있었다. 배부르니 행복감이 밀려오는 내 단순함에 어이없어 웃음이 나왔다.

비가 그치고 구름 사이로 나온 하늘은 아름답고 황홀했다.

부르고스까지 가는 길은 그동안 걸었던 순례길에 비해 안내표시가 적었다. 갈림길에서 여러 차례 헤매고 구글 지도를 참고했다. 심지어 순례길을 알리는 화살표가 거꾸로 된 곳도 있었다. 차가 쌩쌩 달리는 위험한 넓은 찻길을 건너긴 했지만, 동네 주민 덕분에 순례길로 제대로 들어섰다.

부르고스를 한 시간 정도 남기고 우리는 바(bar)에 들어가 맥주를 마시며 갈증을 풀었다. 따뜻한 바에 들어가 판초와 젖은 옷을 벗고 편하게 쉬니 살 것 같았다. 그곳에서 우리나라 순례자 부부를 만났다. 블로그에 올린 산티아고 순례길 이야기를 읽었다며 나를 알아보았다. 조금 민망했지만, 기분 좋았다.

부르고스에 들어서니 대도시답게 넓은 도로, 많은 자동차와 사람, 큰 건물들이 즐비했다. 넓은 공원도 여기저기 보였다. 자동차가 사람만 보면 멈췄고 멀찍이 사람이 보이면 미리 서서 기다려 미안할 정도다.

드디어 부르고스 대성당에 도착했다. 오늘 걷는 구간 공식 거리는 25km 정도지만, 빗속을 걷고 길을 헤매서 평상시보다 시간이 더 걸렸고 다른 날보다 몹시 피곤했다.

부르고스 공립 알베르게(Casa de Los cubos Muncipal Pilgrims Hostel)는 지금까지 이용한 알베르게 중 규모가 가장 크고 시설도 좋다. 그러나 배낭 택배를 받아주지 않아 배낭 택배를 이용하는 순례자는 알베르게 앞 카페에서 택배를 보내고 받아야 한다.

체크인하고 얼른 씻고 편하게 쉬고 싶은데 택배로 보낸 배낭이 도착하지 않았다. 배낭 택배를 이용하는 남편을 원망하는 마음이 또 슬금슬금 올라왔다. 그런 내가 실망스러웠다.

밖으로 나가 부르고스 성당을 구경했다. 입장료가 일반인은 11유로 순례자는 5유로다. 성당 외관은 화려하고 웅장해서 감탄이 저절로 나왔다. 한참 넋 놓고 바라보았다. 성당 내부에도 볼거리들이 많았지만, 그동안 순례길에서 보았던 성당들과 겹치기도 하고, 너무 피곤해서 휙휙 지나치며 돌아보았다.

배낭을 찾으러 간 카페에서 밥을 먹었다. 그동안 지나온 식당과 다르게 순례자들을 위한 단품 음식과 영어로 된 메뉴판이 있어 편했다. 그래도 지친 우리는 눈에 띄는 대로 아무거나 주문했고 음식이 나왔을 때 돼지고기와 닭고기 크기에 놀랐다. 두 사람이 먹기에는 너무 많아 보였다. 그런데 맛있게 먹다 보니 그 많은 양을 다 먹었다. 배가 부르니 몸과 마음이 느긋해지며 피곤이 더 몰려왔다. 배낭을 찾아 얼른 알베르게로 갔다.

부르고스가 큰 도시라서 며칠 머무는 순례자들이 많다고 하길래 우리도 잠시 고민했다. 대성당은 이미 보았고, 대성당을 제외하면 부르고스가 그다지 매력적으로 다가오지 않아 더 머무르지 않고 내일 바로 이동하기로 했다.

내일부터는 들판만 반복되며 볼거리도 없고 지루해서 일정이 빠듯한 순례자는 차를 타고 건너뛰기도 한다는 메세타 평원을 걷게 된다. 어느덧 산티아고 순례길도 중반부로 접어들었다. '기대된다'고 해야 할까? 아니, 잘 모르겠다.

웅장하고 화려해서 감탄을 자아냈던 부르고스 성당 일부분

물벼락으로 시작한 하루 (4월 23일 일)

부르고스 Burgos ~ 오르니요스 델 카미노 Hornillos del Camino

어제는 어두운 새벽 빗속을 걸으며 비를 홀딱 맞았다. 오늘은 20km 정도만 걸을 계획이라 조금 늦게 일어나 여유 있게 출발하기로 했는데, 팔에 축축한 느낌이 들어 평소보다 더 이른 시간에 깜짝 놀라 일어났다.

뚜껑이 제대로 닫히지 않았던 물통에서 흘러나온 물이 침대에 흥건했고, 중요한 물건을 넣어 매고 다니던 가방과 핸드폰도 젖었다. 방수된다고 해서 거금을 주고 산 가방 안에 있던 지갑과 돈까지 젖어 들었다. 널어놓았던 수건으로 물을 닦아 얼른 수습하고 젖은 옷은 그냥 입은 채 말렸다. 그렇지 않아도 밤새 추웠는데 별다른 방법이 없었다. 침낭 속에서 새우처럼 몸을 웅크리고 체온을 유지하려 애썼다.

비는 안 내리지만, 날씨는 흐렸다. 예정대로 출발했는데 브루고스가 큰 도시라 길이 넓고 순례길 표시도 눈에 잘 띄지 않았다. 바닥에 그려진 조금 특이한 모양 화살표를 따라 걷다가 아무래도 느낌이 이상해 구글 지도를 켜려는 순간 누군가 우리를 불렀다.

순례길은 그쪽이 아니라고 한다. 스페인 말로 길을 알려주는데 신기하게도 나는 다 알아듣고 있다. 내가 "다리를 건너야 한다고요?" 분명히 한국말로 확인하는데 그 사람은 내 말을 알아듣고 고개를 끄덕였다. 소통은 단지 언어 문제가 아니라는 생각이 들었다.

들판으로 나오니 바람이 거세지기 시작했다. 원래 바람이 센 지역인지 멀리 풍력 발전기가 줄지어 서 있다. 거센 바람에 코가 끊임없이 흘러내렸다. 몸은 휘청거리며 지탱하기 힘들었고, 귀에서는 바람 소리가 끊임없이 윙윙거렸다.

바람 많은 넓은 들판에 줄지어 서 있는 풍력 발전기

바람이 잠시 멈추는 짧은 순간에는 신기하게 새의 지저귐이 들렸다. 벌판 어디에 새가 숨어있는지 모르겠지만 바람 소리와 장단을 맞추는 것 같은 새소리는 환청처럼 느껴졌다.

마지막 들른 마을에는 벽화가 많았다. 벽에 그려진 노란 화살표 아래 476km라는 숫자가 쓰여있다. 산티아고까지 476km 남았다.

아, 벌써 절반 가까이 걸었다.

오늘 묵을 알베르게(Albergue Hornillos Meeting Point) 침대 일 층은 남편 앉은키보다 높다. 그동안 무릎이 안 좋은 남편이 일 층을 쓰며 침대 쇠 프레임에 수없이 머리를 부딪혔다. 나이도 들어가는데 머리가 더 나빠지진 않을지 걱정될 정도였는데 머리 부딪칠 일 없으니 좋다.

동네가 작아서 식료품점이 한 곳 있고, 성당 구경하고 돌아서니 마을 끝이다. 하늘도 맑아지고 바람도 잘 불어서 빨래 걱정은 안 했는데 잠깐 내린 소나기에 빨래가 다 젖었다.

스페인 저녁 식사 시간은 보통 8시 전후로 늦다. 순례 초기 다른 사람들처럼 늦은 시간에 저녁을 먹었더니 소화하지 못한 채 잠자리에 누워야 하고 잠도 깊이 못 잤다. 그후 우리는 점심을 겸해서 이른 저녁을 먹는다.

알베르게에서 순례자 저녁 식사를 유상 제공한다고 했지만, 우리는 장을 봐서 점심 겸 저녁을 먹었다. 동네에 하나밖에 없는 식료품점

물건값은 비쌌지만, 품질은 좋았다. 오늘도 이렇게 스페인 산티아고 순례길의 하루가 저문다.

소나기에 젖은 빨래는 바람에 다시 잘 말랐다.

오늘 만난 웃음 천사 (4월 24일 월)

오르니요스델 카미노 hornbill is del Camino ~ 카스트로헤리스 Castrojeriz

순례길에서 일찍 출발하면서 맛보는 새벽의 고요와 평화로움은 말로 표현할 수 없는 감동을 준다. 날이 밝아올 때 느낌 또한 특별하다. 작년까지 출근하느라 새벽길을 걸었지만, 수면 부족과 피로에 찌들어 새벽 정취는커녕, 주변 한 번 제대로 쳐다본 적 없다.

어제 머물렀던 알베르게는 문 여닫는 소리조차 건물 전체에 울려, 일찍 일어나 움직이는 게 신경 쓰였다. 하지만 새벽이 주는 특별한 감동을 포기할 수 없어 최대한 조용히 준비하고 해뜨기 전 출발했다.

조용하고 컴컴한 거리를 지나 마을을 벗어나 들판으로 나아갔다. 우리는 아무 말도 하지 않고, 고요하고 평화로운 분위기를 한껏 즐겼다. 구름이 많아 해 뜨는 모습은 안 보이고 주위는 서서히 밝아졌다. 오전 내내 흐리고, 가도 가도 평원만 펼쳐졌다. 바람도 끊임없이 불었다. 여기가 메세타 고원이다.

갑자기 눈앞에 온타나스라는 예쁜 마을이 나타났다. 바람이 센 지역이라 땅보다 낮게 만들어진 마을은 가까이 갈 때까지 보이지 않았다. 한참을 쉬지 못했던 우리는 마을에서 바(bar)가 보이자마자 들어가 카페 콘 레체를 주문했다.

성당을 구경하려고 가까이 가니 문이 열려있었다. 촛불도 켜져 있고 종탑으로 올라가는 문도 열려있어 성당이 살아있다는 느낌이 들었다. 지나온 순례길에 있던 성당 대부분은 오전에 문이 닫혀 있었다. 저녁때 들어가 보아도 오래된 건물 특유의 무거움과 음습함이 느껴지는 경우가 많았는데 온타나스 성당은 아기자기한 게 요즘 성당 같다.

바람 센 메세타 고원 아래로 내려가면 예쁜 온타나스마을이 나타난다.

다시 걸었다. 신비하고 멋스럽지만 허물어져가는 건물을 지나고 폐허에 가까운 마을도 지났다. 거리에 버려진 커다란 개들이 있어서 무서웠다.

한참을 더 걸어 목적지 카스트로헤리스에 도착했다. 한가운데 산을 중심으로 아래쪽이 마을이다. 산꼭대기에는 허물어져 가는 아주 오래된 건축물 일부가 있고, 산 중턱에는 정체를 알 수 없는 굴이 많이 뚫려 있다. 또 무너져 내리고 있는 건물도 많아 으스스한 분위기를 풍겼다. 마을에 있는 안내판에 의하면 산꼭대기에 있는 건축물은 BC2000년에 지어졌다고 한다. 꼭대기까지 올라가 보고 싶었지만, 남편이 힘들다고 해서 산 중턱까지만 돌아보았다.

순례길에서 찍은 사진 속 내 얼굴은 하나 같이 표정이 굳어 있다. 걷는 것도 힘들고, 언어도 자유롭지 못하고, 매일 바뀌는 낯선 환경에 적응하기 급급해 늘 긴장 상태였다. 무엇보다 내가 순례에 나선 목적이 불분명해서 몸과 머리가 따로 노는 듯한 기분이었다. 순례길을 걷는 동안 특별히 웃을 일이 없었다.

대체로 순례자들 표정은 온화하고 부드러운데, 오늘 유난히 기쁨에 찬 밝은 얼굴로 걷는 젊은 순례자를 만났다. 순례길에서 우리를 스쳐 빠르게 앞서가며 인사를 하는데 천사의 미소가 저럴 거라는 생각이 들었다.

온타나스 마을에서 다시 만났을 때 밝은 미소 순례자는 사진을 찍어주겠다며 우리에게 다가왔다. 이유는 알 수 없지만, 그 젊은 순례자의 활짝 웃는 밝은 미소는 내게 큰 힘과 위안이 되고 경직되고 굳은 나를 돌아보게 했다. 좀 더 느긋하고, 자유롭고, 여유로운 마음으로 순례길을 즐겨보라는 사인 같은 밝은 미소 순례자는 오늘 만난 천사다.

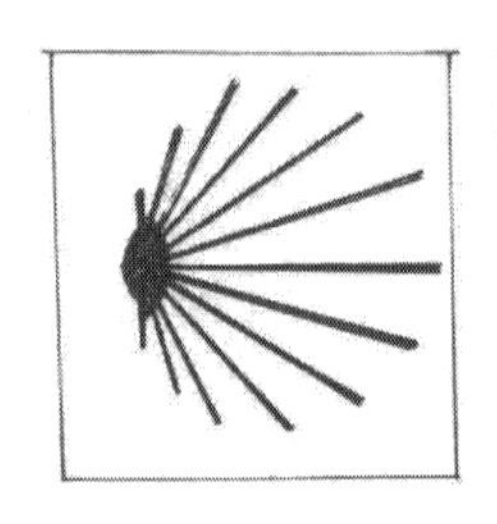

산티아고 순례길을 알리는 표시

여유로움을 배우며 (4월 25일 화)

카스트로헤리스Castrojeriz ~ 프로미스타Fromista

어제 머물렀던 공립 알베르게(산 에스테반)는 조금 특별했다. 다른 공립 알베르게보다 더 저렴하고, 방이 하나밖에 없는 작은 규모지만 순례자의 편의를 생각하는 운영자의 의지가 느껴졌다.

손 빨래하는 순례자에게 유용한 탈수기가 있고 빨래집게도 충분했다. 주방에는 빵, 잼, 차 등이 있어 마음대로 먹고 자유롭게 기부하면 되었다. 우리는 따로 슈퍼마켓에서 장을 봐서 알베르게에 있는 음식을 이용하지 않았지만, 새벽에 많은 순례자는 주방 음식으로 아침 식사를 했다.

새벽 6시경, 낡은 옷을 입은 나이 많은 순례자가 알베르게 물품들을 정리하기 시작했다. 사람들이 사용하고 씻어놓은 그릇을 찬장에 넣고, 카펫을 끌고 나오더니 먼지를 털었다.

주방에 있는 음식으로 아침 식사를 하고 기부금 대신 봉사하는 것처럼 보였다. 이런 게 순례자 정신이 아닐까? 하는 생각이 들었다.

대부분 순례자들이 일찍 일어나 출발 준비해서, 우리도 짐을 싸느라 나는 소리 신경 쓰지 않고 밖으로 나갈 필요 없이 침대 옆에서 편하게 배낭을 꾸렸다. 함께 머물렀던 순례자들도 특별했다.

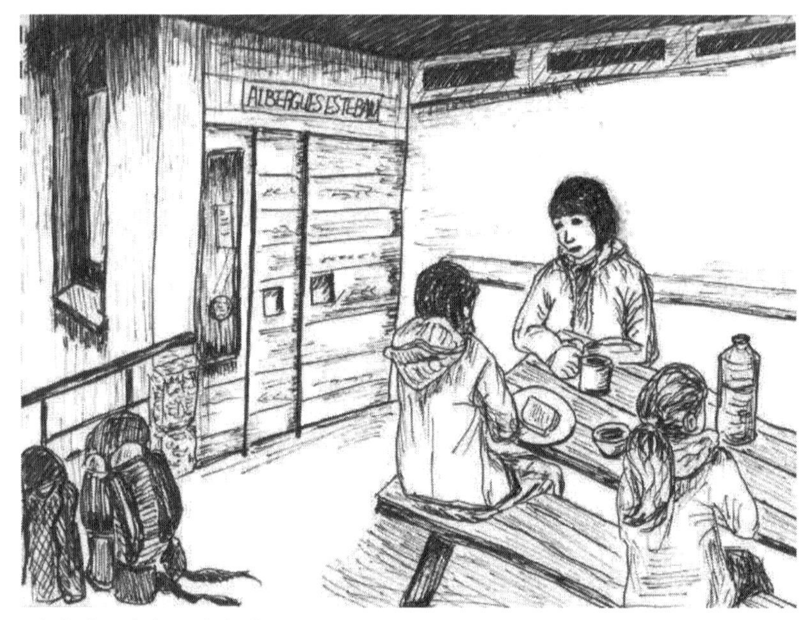

함께 머물렀던 순례자 대부분이 일찍 일어나 아침 먹고 출발 준비해서 우리도 편하게 준비하고 출발했다.

어두운 새벽은 고요하고, 평화로웠다. 길은 언덕으로 이어졌고 꼭대기에서 뒤돌아보니 떠나온 마을이 어둠 속에서 반짝이고 마을 뒤쪽에서 동이 텄다. 아름다웠다.

구름 많고 흐려서 걷기 좋은 날씨다. 끝없는 들판, 나무도 거의 없는 길을 걷고 또 하염없이 걸었다. 우리나라에서는 상상할 수 없는 넓은 평원이 이어졌다.

멀리 나무가 줄지어 있는 곳이 보였다. 강이 있을 거라는 남편 말에 가까이 가보니 정말 강이었다. 강물에 비치는 구름과 나무 그림자는 환상적이다.

목적지 프로미스타 가까이에서 카스티야 운하를 만났다. 작은 유람선도 있고 순례자뿐 아니라 운하를 구경하려는 관광객도 많았다. 물에 비치는 모든 것을 반사하는 물길, 쨍하게 파란 하늘, 하얀 구름, 물오른 초록색 나무들이 어우러진 풍경은 한 폭의 예쁜 그림이다.

카스티야 운하에 비친 나무 그림자는 환상적이다.

일찍 출발하고 부지런히 걸은 덕분에 해가 뜨거워지기 전 프로미스타에 도착했다. 슈퍼마켓에서 먹거리를 사서 예약한 알베르게로 갔다.

그런데 대문은 잠겨있고 오후 2시부터 밤 9시 30분까지 문을 연다는 안내 종이 한 장만 달랑 붙어있어 당황스러웠다. 인터넷 사이트에는 분명히 12시부터 문을 열고 체크인이 가능하다고 쓰여있었다. 일찍 도착한 우리는 40분 이상 기다려야 했다.

한국이었다면, 아니 순례 초기만 해도 이런 상황과 수정 안 된 인터넷 사이트에 짜증이 났을 거다. 그런데 지금은 '그럴 수도 있지'라는 생각이 들고 아무렇지 않다. 자연스럽게 근처 벤치로 가서 앉았다. 7시간 신고 걸은 등산화와 양말까지 벗고 느긋하게 쉬며 해바라기 했다. 장 봐온 맥주를 마시고 과자를 먹으면서 기다리니 금방 2시가 되었다.

'빨리빨리'에 길들고 결과를 중요시하는 분위기 속에서 조급증과 강박관념으로 평생 살아왔다는 자각이 든다. 나는 순례길에서 자연스럽게 한 박자 늦추고 기다릴 수 있는 마음의 여유를 배우고 있다.

단순하고 요새 같은 모습이 인상적이었던 프로미스타 성당

단체 순례객의 트렁크에서 튄 불똥 (4월 26일 수)

프로미스타 Fromista ~ 카리온 데 로스 콘데스 Carrion de los condes

오늘 이동할 거리는 짧고 평지라서 가벼운 마음으로 출발했다. 마을을 벗어나 걷다 보니 해가 떠오르며 주위가 밝아왔다. 가슴 뛰도록 아름다웠다.

날씨가 좋아, 적당한 곳에서 준비한 간식을 먹으며 신발도 벗고 쉬었지만, 카페 콘 레체 생각이 간절해서 바(bar)가 나타나기만 고대했다. 10km 이상 걷고 나서야 바(bar)가 나타났다. 힘들게 걷다가 쉬면서 맛있는 커피와 음식을 먹으면 행복하고 다시 힘이 난다.

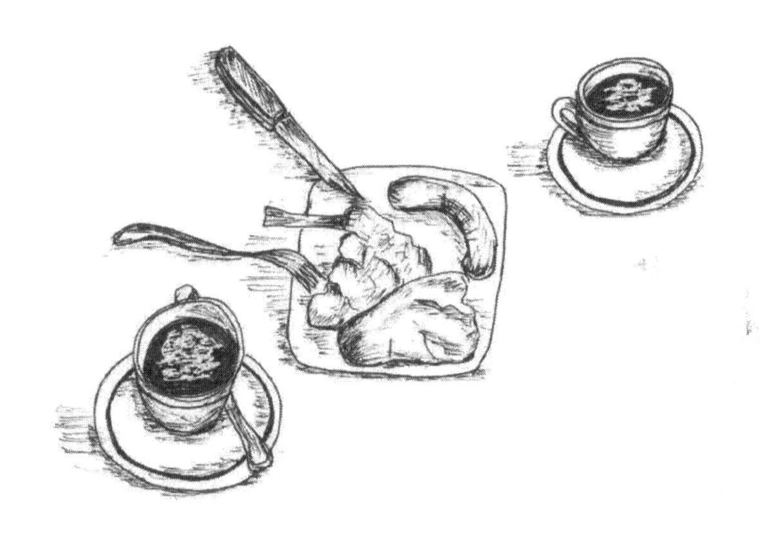

소시지, 또르띠아와 함께 먹은 순례길의 단짝이 된 카페 콘 레체

잘 생기고 점잖은 개와 함께 순례길을 걷는 아주머니, 배낭을 메는 대신 수레를 만들어 끌고 걷는 노부부 등 다양한 순례자들과 만나고 헤어졌다.

끝이 없는 일직선 길을 걸었다. 시간이 흐를수록 해가 높아지고 뜨거워지면 걷기 힘들다. 그래도 파란 하늘과 하얀 구름은 나를 응원한다.

부지런히 걸은 덕분에 오늘도 뜨거워지기 전 목적지인 카리온 데 로스 콘데스에 도착했다. 가려고 마음먹은 알베르게(Centro del Espiritu Santo Pilgrims Hostel)는 예약받지 않는 곳이지만 우리는 일찌감치 도착했고, 또 이 지역에는 알베르게가 많다고 해서 걱정하지 않았다.

수녀님들이 운영한다고 하는 알베르게는 마당이 넓고 깨끗하게 정리돼 있고 건물도 좋아 보여 만족스러운 마음으로 체크인 순서를 기다렸다.

우리 차례가 되어 의자에 앉자마자 봉사자는 마구 화를 내며 스페인 말로 속사포 같은 질문을 쏟아냈다. 우리는 하나도 알아듣지 못하고 너무 놀라 얼이 빠졌다. 정신이 멍했다. 뒤에서 차례를 기다리던 스페인 말을 하는 순례자는 우리를 변호하는 듯한 말투로 봉사자에게 이야기하고 봉사자는 계속 언성을 높였다.

상황을 정리하면 이런 것 같다. 한국인 단체 순례자들이 배낭도 아닌 여행 캐리어를 택배로 알베르게 마당에 쏟아놓았다. 택배를 두는 지정된 장소도 아니고, 트렁크를 들고 단체로 여행하는 듯한 모습이 순례자 정신에 맞지 않는다고 생각하는 봉사자는 화가 났다. 그때 마침 우리가 체크인하려고 앉았고 한국 사람이라 우리에게 화를 낸 것 같다.

우리가 그 단체와 상관없고 스페인어를 못한다는 사실을 안 이후에도 봉사자는 계속 스페인어로 퉁명스럽게 굴었다. 어쨌든 우리를 변호했던 순례자의 무마로 절차대로 신원 확인하고 숙박비 내고 순례자 여권에 도장 받고 침대보를 받았다.

그러나 봉사자(수녀)는 아무런 안내도 하지 않고 무시하는 태도를 보이며 우리를 변호하던 순례자에게 체크인하라고 했다. 그 순례자는 우리 먼저 안내하라 하고, 봉사자는 체크인 먼저 하겠다고 하며 둘 사이 실랑이가 시작되더니 언성까지 높아졌다. 우리는 너무 곤혹스러웠지만, 상황도 정확히 모르고 스페인 말도 못 하니 어찌할 바를 몰랐다.

그 소란스러움에 또 다른 봉사자가 오더니, 남편을 밖으로 밀어냈다. 나도 떠밀렸지만, 체크인하고 받은 일회용 침대보를 흔들고 버티며 의자로 가서 앉았더니 끌어내지는 않아서 상황을 지켜보았다.

우리에게 화풀이하는 건 부당하다며 순서대로 안내해 주라던 순례자와 봉사자 사이 언쟁이 점점 격해지더니 급기야 봉사자는 그 순례자에게 나가라며 순례자 여권과 돈을 던지듯 되돌려주었고, 순례자도 화를 내며 배낭과 스틱을 챙겨 나갔다. 우리를 대변했던 그 순례자는 쫓겨났다. 나는 어떻게 해야 할지 알 수 없고 난감했다.

봉사자는 불친절하게 방을 안내했고 방 이외 어떤 시설에 관한 설명도 하지 않았다. 침대를 배정받았지만, 택배로 보낸 배낭이 도착하지 않아서 일단 밖으로 나왔다.

가지고 있던 유로를 거의 다 써서, 몇 번의 시행착오 끝에 ATM기에서 유로를 찾았다. 환율이 어마어마하게 높고 수수료도 비쌌지만, 낯선 외국, 낯선 ATM기에서 유로를 찾은 것만으로도 더 바랄 게 없었다. 지갑이 두툼해진 남편 어깨와 발걸음에는 힘이 들어갔다.

슈퍼마켓에 들르고, 약국에서 남편 무릎 통증 약도 샀다. 큰 도시라 그런지 약국에 들어가려면 마스크를 써야 했다. 바(bar)에서 시원한 맥주도 한 잔 마시고 돌아오니 배낭이 도착해 있다.

우리나라 단체 순례자들이 하나둘씩 도착했고, 아무 일 없는 듯 인솔자 도움으로 침대 배정받고, 여타 순례자와 다를 바 없이 샤워하고, 빨래하고, 장 보고, 주방에서 음식을 만들었다. 종교적인 목적으로 순례하는 천주교인들이라고 한다.

우리는 알베르게 봉사자 감정 쓰레기통이 되어 시설에 대한 안내를 못 받았지만 알아서 잘 지냈다. 어쨌든 시설은 좋았고 특히 침대가 모두 일 층이고, 침대 옆에 개인 탁자도 있어 물건 올려놓기도 편했다.

알베르게에서 쫓겨난 그 순례자는 어느 숙소에 머물고 있을까? 무어라 표현하기 어려운 복합적인 감정이 나를 휘감는다.

끝없는 들판이 펼쳐지는 메세타 고원에 우뚝 선 나무.

5부 파란 하늘, 마음의 평화

순례길 표지석

끝없는 직선 길, 메세타 고원 (4월 27일 목)

카리온 데 로스 콘데스 Carrion de los Condes ~ 레디고스 Ledigos

안개가 가득한 새벽 풍경도 환상적으로 멋지고 일출도 독특하고 아름다웠다. 뜨거워지기 전 목적지에 도착하려고 오전 내 부지런히 걸었다.

적당한 곳을 찾아 쉬는데, 근처에 있던 순례자가 다가오며 빵을 내밀었다. 한참을 더 가야 마을이 나오는데 배고프면 먹으라고 했다. 조금 전에 간식을 먹어 배가 고프지 않았던 우리는 고맙지만 먹을 게 있다고 하자 그 순례자는 다행이라는 듯 고개를 끄덕이며 활짝 웃었다.

마을과 마을 사이 거리가 멀어 아침을 안 먹고 출발했다면 배가 고플 시간이어서 우리에게 먹을 것을 나눠준 거였다. 오늘 만난 첫 번째 천사다.

무한히 일직선으로 뻗은 길 양옆은 모두 밀밭이다. 17~18km 정도 걸은 후에야 마을이 나타났다. 우리나라에서는 상상조차 할 수 없는 넓은 땅이다.

거의 모든 농사일이 자동화된 듯 일하는 사람은 보기 힘들다. 이른 새벽에 스프링클러가 돌거나 약을 치는 기계들이 움직였다.

마을이 보이자 바(bar)를 찾았다. 유리컵에 주는 카페 콘 레체는 처음인데 양도 많고 맛도 좋았다. 커피 한 모금에 온몸은 반응하며 새로운 힘이 났다.

그곳에서 그동안 얼굴을 익히고 주먹 인사까지 나누던 노인 순례자를 만났다. 그 순례자는 말을 못 하는데 우리도 스페인어를 못하니 어차피 마찬가지다.

그는 무릎이 아파 오늘은 더 걸을 수 없어 그곳에서 쉬고 내일 출발할 계획이라고 했다. 남편은 어제 약국에서 샀던, 무릎 아픈 데 먹는 약을 나누어 주었다. 그 순례자는 좋아하며 내일 사하구에서 꼭 보자고 했다. 나는 못 알아보고 있었지만, 우리 남편도 천사였다.

오늘 목적지 레디고스도 알베르게를 제외하면 식당은커녕 구멍가게조차 없다. 순례자들이 없다면 진작 폐허 되었을 것 같다.

나는 얼마 전까지 추워서 덜덜 떨며 감기로 고생했는데 지금은 온몸에 땀띠인지 알레르기 반응인지 붉은 점들이 났다. 간지러워 긁을수록 피부는 붉게 부풀어 올랐다.

하룻밤이라도 편하게 쉬어야 할 것 같다며 남편은 사립 알베르게(El Palomar Hostel) 이인실을 예약했다. 주택 몇 채를 개조해서 만든 곳이고, 넓은 마당과 소파가 있는 휴식 공간이 마음에 들었다. 스페인 시골 주택 체험 같았다.

알베르게에서 운영하는 바(bar)에서 돼지고기 꼬치와 맥주를 먹었다. 돼지고기 꼬치는 가격도 저렴하고 맛도 좋았지만, 맥주를 큰 잔으로 마셨더니 식사 비용이 꽤 나왔다.

점심 겸 저녁 식사 후 마당에 있는 흔들 그네와 해먹에서 햇볕도 쬐며 여유를 즐겼다. 이인실이라 짐을 다 펼쳐놓고 다른 사람 신경 쓰지 않고 옷도 편하게 입고 쉬었다. 하룻밤 자고 나면 땀띠(?)도 가라앉고 걸어갈 새로운 힘도 날 거라고 주문을 외워본다.

17~18km씩 이어지는 메세타 고원의 직선길은 내 상상을 초월한다.

부서진 순례길 표지석 (4월 28일 금)

레디고스 Ledigos ~ 베르시아노스 델 레알 카미노 Bercianos del real Camino

출발 준비를 마치고, 택배 보내는 배낭을 지정된 장소에 두려고 하니 문이 잠겨있어 난감했다. 순례길 초기만 해도 이처럼 예상을 벗어나거나, 내가 통제할 수 없는 상황이 되면 몸이 긴장되고 화가 났었다. 그러나 오늘은 감정이 별로 동요되지 않았다. 마음 편하게 남편이 처리하는 것을 지켜보았다. 출발 시간이 지체되고, 추운 데서 잠시 떨며 기다리긴 했지만, 배낭은 다음 목적지로 잘 보내졌다.

지역에 따라, 순례길 안내표시는 차이가 많다. 안내표시가 자주 있고 알아보기 쉬운 동네, 띄엄띄엄 있어서 헷갈리는 마을, 심지어 화살표가 반대로 표시된 곳도 있었다.

어제 묵었던 레디고스부터 순례길 표시가 거의 없다. 길이 일직선이라 길을 잃을 가능성은 없지만, 이상했다. 그런데 길바닥에 일정한 간격으로 네모난 구멍이 있고 근처에는 순례길 표시가 그려진 표지석이 부서진 채 나동그라져 있다. 이렇게 부서진 돌과 바닥의 구멍은 사하군까지 10km 이상 계속되었다.

누군가 길에서 표지석을 뽑아 길바닥에 내동댕이쳤다는 것을 알 수 있었다. 이걸 부순 사람은 누구였을까? 남편은, 농부가 트랙터 등을 자유롭게 몰기 위해 인도 가운데 일렬로 늘어선 순례길 표지석을 뽑아 던졌을 거로 추측했다. 그럴듯한 추측 같다. 순례자들과 이해관계가 충돌하는 사람도 있겠다는 생각이 들었다.

뽑히고 부서진 순례길 표지석은 사하구까지 여기저기 뒹굴고 있다.

과거에는 알베르게를 예약 없이 선착순으로 이용했다고 한다. 현재는 순례자가 많아지며 예약은 보편화되고 공립 일베르게도 예약을 받는 곳이 많아지며 순례길 문화는 바뀌는 중인 듯하다. 우리도 다음 날 갈 알베르게를 대부분 예약하고 이용한다

내일 가려는 지역의 공립 알베르게는 운영하지 않고, 사립 알베르게는 예약이 이미 다 찼다. 숙소가 정해지지 않아 마음이 심란했지만,

내일 숙소는 목적지에 도착해서 생각하기로 하고 아무 생각 없이 걸었다. 사실 걷다 보면 아무 생각도 나지 않는다. 남은 거리가 383km라는 표지석이 보였고 300대로 떨어진 숫자를 보니 기분이 묘했다.

차도와 나란하게 걷는 길이지만 자동차가 많지 않아 덜 피곤했다. 대신 감동적인 풍경도 나타나지 않았다. 오전 10시인데 해는 벌써 뜨겁고 기온이 오르니 걷기 힘들었다. 그때 갑자기 하늘에 구름이 잔뜩 끼며 쨍쨍하던 해가 사라지고 바람이 불더니 잠시 후 빗방울까지 떨어졌다. 비가 그렇게 반가울 수 없었다.

오늘 목적지 베르시아노스 델 레알 카미노도 작은 동네이고 무너져 내리는 빈집도 여기저기 보였다. 여기도 순례자들 덕분에 마을 경제가 겨우 돌아갈 것 같다.

알베르게(Santa Clara Pilgrims Hostel) 체크인하고 내일 숙소를 해결하기 위해 남편과 머리를 맞댔다. 원래 계획보다 걷는 거리를 줄여 목적지를 바꾸었지만, 문제는 또 있다. 우리 핸드폰 e-심이 전화 통화는 안 되고 데이터만 쓸 수 있는데 문자나 메일로 내일 숙소를 확인하고 예약하기엔 시간이 부족했다.

오스트리아 비엔나에 살고 있는 아들에게 몇 군데 알베르게 전화번호를 주며 가능한 곳에 예약을 부탁했다. 마침 빈 침대가 있었는지 예약했다는 연락이 바로 왔다. 내일 갈 숙소가 정해지니 마음이 가벼워졌다.

지금까지 자식 도움없이 남편이 모두 예약하며 순례길을 걸었지만,

어느새 성인이 되어 급할 때 도움을 청할 수 있는 아들이라는 지원군이 있으니 든든하다.

숙소를 해결하니 허기가 몰려왔다. 어제 머물렀던 곳은 가게조차 없어 먹거리를 못 사는 바람에 아침도 제대로 못 먹고 출발했다는 생각이 났다. 브레이크타임이지만 순례자를 위해 영업하는 식당이 있어 얼른 달려갔다. 배까지 부르니 세상에 부러운 것이 없다. 이렇게 순례길 또 하루가 지나간다.

순례길에서 자주 보이는 십자가와 오래된 다리는 지역마다 조금씩 다르다.

내 인생 최고로 평화로운 시간 (4월 29일 토)

베르시아노스 델 레알 카미노 Bercianos del real Camino ~ 레리에고스 Religos

숙소 때문에 목적지를 레리에고스로 바꿔서 20km 가볍게 걸었다. 늘 그렇듯 카페 콘 레체를 마시러 영업 중인 바(bar)에 들어갔는데 스페인 직원이 우리에게 한국말로 반갑게 인사해서 깜짝 놀랐다.

커피를 마시며 쉬고 있는데 순례길에서 종종 마주치며 인사하던 재미교포 아저씨, 몇몇 우리나라 사람들, 연예인 이무송씨가 들어왔다. 한국 라면을 먹으러 왔다고 한다.

아무 생각 없이 커피를 마시며 쉬고 있던 엘 브루고 라네로의 <라 코스타 델 아도베>라는 바(bar)에서 한국 라면을 판다는 사실을 그제야 알게 되었다. 그래서 우리나라 사람들이 많이 찾아오고, 직원들도 간단한 우리나라 말을 하는 거였다.

우리는 산티아고 순례길에서 음식 때문에 고생하지 않아서 라면이 별로 당기지 않았다. 커피로 힘을 얻고 다시 순례길로 걸음을 옮겼다.

이른 시간부터 해가 뜨겁게 내리쬐었지만, 오늘 걷는 길에는 나무가 있고 바람도 간간이 불며 땀을 식혀주었다. 얼마 전까지 거센 바람에 덜덜 떨던 생각이 나서 피식 웃음이 나왔다.

민들레가 지천으로 피었다. 우리나라 흔한 꽃을 여기서 보니 반가웠다. 구름 사이로 파란 하늘이 보였다. 파란색과 파란 하늘이 좋다.

지천으로 핀 우리에게 익숙한 민들레가 반갑다.

레리에고스도 작은 마을이라 큰 건물이나 특별히 볼 것은 없고 순례자만 보였다. 새로 지은 어느 알베르게에 미국, 브라질, 프랑스 국기 그리고 태극기가 꽂혀 있다.

미국은 워낙 힘 있고 큰 나라이고, 브라질도 크고 같은 스페인어권이며, 프랑스는 바로 옆 나라지만 작고 멀리 떨어진 우리나라 태극기는 놀라웠다. 산티아고 순례길에 우리나라 사람이 얼마나 많은지 보여주는 증거 같다. 오늘도 우리나라 순례자를 많이 만났다.

걷고, 먹고, 쉬고, 자는 게 다인 순례길 생활은 단순하다. 평생 긴장하고, 조바심치며 살았던 우리나라에서의 생활이 먼 꿈속 일처럼 느껴진다. 생각해 보니 순례길을 걷고 있는 요즘이 내 인생에서 가장 편하고 평화로운 시간 같다. 걷는 것 이외 어떤 역할도, 책임도, 임무도 없다. 걷다 보면 머릿속 생각은 사라지고 마음은 고요해진다.

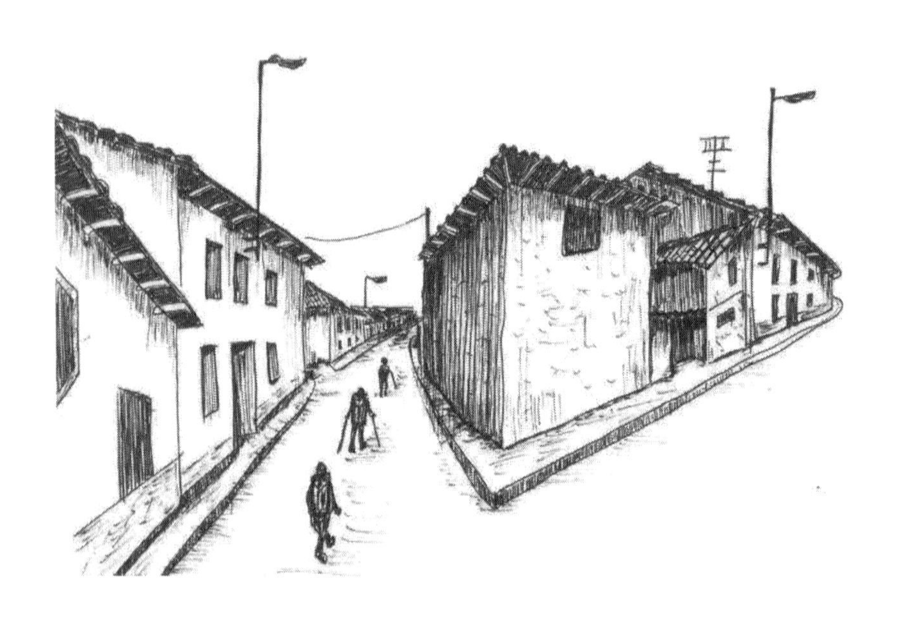

오래된 작은 마을 골목을 따라 알베르게를 찾아가는 순례자

여행자의 마음으로 레온을 향해 (4월 30일 일)

레리에고스 Reliegos ~ 레온 Leon

어제 묵은 알베르게(Albergue de Peregrinos La Parada)에는 특히 우리나라 순례자가 많았다. 아침 일찍 연예인 이무송 씨를 비롯해 우리나라 사람 5명이 함께 출발했다. 우리 속도대로 걷다 보니 일행과 떨어졌지만, 목적지는 모두 레온이라 또 만나려니 생각했다.

보통 아침을 먹고 출발하는데 어제 묵었던 사립 알베르게는 식사할 공간이 없어서 그냥 출발했다. 한참 걷다가 문을 연 바(bar)가 보여 카페 콘 레체와 빵을 주문했다. 그런데 주인아저씨는 주문하지도 않은 오렌지 주스를 자기 마음이라며 주었다. 커피도 맛있고 빵과 오렌지 주스 맛도 최고였다. 다 먹고 바(bar)를 나오는데, 주인아저씨는 순례길 방향을 알려주며 "부엔 까미노"를 외쳤다. 감사하고, 힘도 났다.

레온은 큰 도시이고, 많은 순례자가 이틀 이상 머물며 쉬어가는 곳이다. 그래서인지 순례길은 들떠 보였다. 우리도 레온에서 이틀 머물 예정이라 내 발걸음은 가볍고 마음도 설레었다.

소들이 풀을 뜯는 목장을 지나고, 오솔길도 지나, 한참을 걷다 자그마한 언덕에 올라서니 그동안 머물렀던 곳과는 비교도 안 될 만큼 커다란 도시가 멀리 눈앞에 갑자기 펼쳐졌다. 마치 영화 한 장면 같았다.

레온에 도착했다. 어느 성당 종탑에 둥지를 튼 새가 때마침 커다란 날개로 날갯짓했다. 레온 이미지와 잘 어울렸다. 레온 다리를 건너고, 여러 성당도 지나고, 레온 성벽, 레온(사자) 조형물도 보았다. 광장과 거리는 다양한 사람들로 가득하다. 레온은 활기 넘친다.

단체 관광객이 가이드를 따라다니며 설명 듣는 모습을 보니 레온이 관광 도시일 뿐만 아니라 역사 도시이자 문화 도시라는 생각이 들었다. 많은 사람 중 눈에 익은 순례자와 마주치면 웃으며 서로 의미 있는 눈인사나 손짓을 보냈다.

포도주잔을 부딪치고 건배하며 우리는 레온 입성을 축하했다.

호스텔(PALACIO REAL HOSTEL) 체크인 후 거리로 나왔다. 사람들이 북적이는 광장에 있는 식당의 야외 테이블에 자리를 잡았다. 관광객을 위한 영어 메뉴판이 있어 음식을 주문하기 편했다. 우리는 레온 입성을 축하하는 건배를 하고 포도주를 마시며 맛있는 점심을 즐겼다.

가우디가 설계한 주택이라는 보티네스 저택을 구경했다. 언뜻 볼 때는 가우디가 설계한 느낌이 나지 않았는데 가만히 보니 창문 곡선, 입구의 조형물, 둥근 기둥 등 가우디 건축 특징이 보였다.

내부에는 건물이 지어진 당시의 사무실, 치과, 가정집, 양복점 등이 재현되어 있다. 또 전시장이 있어 그림들도 전시되어 있다. 해설사의 설명도 있지만, 스페인어를 모르는 우리는 개인적으로 돌아다니며 눈으로만 보았다.

지붕의 유리 창에서 들어오는 햇빛이 삼 층부터 일 층까지 통으로 뚫린 공간으로 쏟아져 들어왔다. 화사하면서 아늑한 느낌이다. 빛과 어울린 실내 공간이 나를 사로잡았다.

몇 년 전 바르셀로나에서 사그리다 파밀리아, 구엘 공원 등 가우디가 설계한 건물을 본 적이 있던 우리는 건물들을 비교하며 흥미 있게 관람했다.

가우디가 설계한 보티네스 저택은 햇빛이 잘 들어 실내가 아늑하고 화사하다.

레온 대성당은 입장 줄이 너무 길어 외관만 둘러보았다. 그동안 여러 성당을 보았고, 특히 부르고스 성당을 본 후 눈이 너무 높아졌는지, 거대한 레온 대성당이 멋있기는 하지만 큰 감동이 일지 않았다.

오히려 주변 광장을 꽉 메운, 움직이는 물결 같은 사람 행렬이 압도적이고 인상적으로 다가왔다.

우리가 묵은 호스텔은 여섯 명이 한 방을 이용하는 다인실인데 투숙객은 네 명이었다. 이층 침대이긴 하지만, 일회용이 아닌 깨끗하고 하얀 면 침대 시트에 우리 침낭 대신 이불을 덮고 누우니 정말 여행하는 기분이 들었다. 하루 이용료도 저렴하고 넓은 주방도 있어 가성비 있는 숙소를 찾는 일반 여행자들이 이용해도 좋을 듯하다. 물론 배낭 택배도 가능하다.

쉬어 가기 - 세 번째 충전 시간

순례길 표지석

폭 망한 레온 여행 (5월 1일 월)

어제 못 갔던 레온 성당에 오늘 오전에는 줄을 안 서고 바로 들어갈 수 있었다. 순례자 입장료 할인은 없고 성당 직원은 순례자 여권에 도장만 겨우 찍고 날짜도 안 써주었다. 무성의하고 불친절해서 다른 성당과 비교된다.

성당 내부는 아름다웠지만 작은 개별 성당은 창살문이 잠겨서 사진을 찍으려면 창살 너머로 손을 뻗어야 했다. 남편은 스테인드글라스 창이 아름답다며 사진을 여러 장 찍었다.

내 블로그를 읽었다며 인사하는 순례자를 만났다. 단순하게 기록하는 마음으로 쓰는 블로그지만, 나를 알아보는 사람들을 만나니 기분이 좋았다. 그런데 그분들은 내가 뭘 좀 아는 줄 아시고 이야기 나누고 싶어 했지만, 사실 나는 아는 게 없어 미안했다. 산티아고 순례길에 관해 공부 좀 미리 해둘 걸 하는 생각이 잠깐 들었다.

오늘이 하필이면 5월 1일 노동절이라 대부분 상가가 문을 닫아 거리는 한산하고, 대신 나들이하는 가족들이 많이 보였다.

동전을 쥔 손가락 모양의 특이한 조형물과 근처에서 로마 시대 수로 흔적을 보았다. 로마 시대 수로 흔적은 귀중한 문화유산일 텐데 안내판 하나만 있고 아이들의 놀이터가 되어 방치되고 있었다.

강을 따라 산책길을 걸어서 산 마르코스 수도원으로 갔다. 아름답고 거대한 규모의 건물에서 수도원 위상이 느껴졌다. 앞쪽 넓은 광장에 있는 분수에서 물이 솟았다. 광장 한편에 있는, 벗어놓은 신발이며 표정이 그럴듯한 지친 순례자 조형물은 내 눈길을 사로잡았다.

산 마르코스 수도원 앞 광장에 있는 순례자 조형물의 지친 표정은 생생하다.

날씨가 좋아 무엇을 찍든지 사진이 예쁘게 나왔다. 오전에 레온을 돌아보고 숙소로 돌아와 쉴 때까지만 해도 괜찮은 여행이었다.

꼭 먹어봐야 한다는 스페인 음식 사진을 들여다보곤 했던 남편에게, 레온이 큰 도시이고 자유롭게 여행하는 중이니 먹고 싶은 것, 무엇을 먹을지 미리 검색하라고 말했다.

저녁을 먹으러 나갔는데, 노동절이기도 하고 브레이크타임이라 문 닫은 식당이 많았다. 그래도 관광객이 많이 모이는 레온 대성당 근처에는 영업 중인 식당이나 카페가 여럿 있었다.

영업 중인 식당들 다 지나치고 문 닫은 식당 앞에서 투덜거리던 남편은 이 골목 저 골목 끝도 없이 걸으며 식당을 찾아 헤맸다. 그러나 대성당에서 멀어질수록 영업하는 곳은 점점 줄어들고 나는 저녁을 먹기도 전에 지쳐 쓰러질 지경이었다.

뭘 먹으려고 저러나 하는데 남편은 어떤 바(bar)에 들어갔다. 만들어져 있는 타파스는 본체만체하더니 메뉴판을 달라고 했다. 두꺼운 책 같은 메뉴는 스페인어로만 되어있고 우리는 스페인어를 모르고 번역기를 돌려도 무슨 음식인지 알기 어려웠다.

고민 끝에 무언가를 주문했는데 한참 만에 도자기 그릇에 그럴듯한 찜 요리가 나왔다. 보기에 먹음직스러워 보여 잔뜩 기대하며 한 입 먹었는데 비위가 상했다. 고기가 아니라 여러 특수 부위로 만든 찜이었다. 25유로(바에서 그 정도 가격이면 비싼 음식) 내고 내가 먹은 건 맥주 반 잔과 서비스로 나온 빵 조각이다.

차라리 원하던 거 맛있게 잘 먹었다고 하면 나을 텐데, 자기는 뭔지 모르고 시켰다며 영업시간 타령만 하는 남편 말에 어이가 없었다. 뭔지 모르는 거 먹으려고 레온 골목이란 골목은 다 뒤지고, 영업하는 곳 다 지나쳐서, 눈에 보이는 만들어 놓은 타파스 마다하고, 모르는 음식 나올 때까지 한세월 기다린 거였다. 참 나. 레온 여행한다고 들떴던 나는 헛웃음이 나왔다.

어젯밤에 지갑을 도둑맞는 꿈을 꾸더니 재수 없는 날이다. 호스텔에서 아침밥을 만들어 먹고 있을 때, 미국에서 왔다는 한국계 순례자는 자기가 먹고 남은 안초비 올리브를 우리 샐러드 접시에 불쑥 쏟아부었다. 그러더니 영어 섞어 꼬부라진 발음으로 맛있는 것이니 먹으라고 했다. 기본적인 예의도 없는 순례자 아주머니 때문에 기분 상한 일까지 떠올랐다.

내일 아침에 먹으려고 사다 놓은 샌드위치 반으로 저녁을 먹으며 레온 여행을 마무리했다. 혼자 먹었는데 무슨 맛있었겠냐던 남편은 배가 부른지 늘어져 영상을 시청하며 쉬고 있다.

내일부터 다시 순례길을 걷는다. 얼만큼 걸어야 작은 것들에 연연하며 맘 상하지 않는 경지에 이르게 될까.

레온을 상징하는 사자상

6부 겸손한 적응

순례길 표지석

순례길의 의미 그리고 의기양양해진 남편 (5월 2일 화)

레온 Leon ~ 산 마틴 델 카미노 San Martin del Camino

레온에서 휴식과 여행을 마치고 다시 순례자가 되어 새벽 일찍 출발했다. 레온이 큰 도시라 한참을 걷도록 도시를 벗어나지 못했고, 다른 순례자도 못 만났다.

4월 초에 걷기 시작했는데 달이 바뀌어 5월이 되었다. 아직도 새벽에는 쌀쌀해서 티, 후드, 패딩, 고어텍스 바람막이에 장갑까지 끼고 걷는다. 그동안은 레깅스를 내복 대신 입었는데 오늘은 등산바지만 입고 출발했다. 바람 세기와 찬 정도가 달라졌다.

스페인 다른 지역은 지금 이상 고온으로 덥다고 한다. 우리가 걷고 있는 순례길은 북쪽이고 고원이라 다른 지역보다 온도가 낮은 것 같다.

우리나라 순례자는 넓은 챙모자, 토시, 장갑, 얼굴 가리개까지 하며 햇빛을 차단하는 데 신경 쓴다. 차림새를 보면 멀리서도 우리나라 사람을 알아볼 수 있다. 반면 서양 순례자는 반소매 티에 반바지를 입고 모자조차 안 쓰는 경우가 많다. 피부를 햇볕에 태우려고 작정한 것처럼 보인다.

오늘도 차도 옆길을 걸었다. 자동차 소리에 시달리며 소음이 사람을 얼마나 피곤하게 하는지 또 한 번 느꼈다. 남은 거리는 200km대로 떨어졌다. 점점 산티아고 데 콤포스텔라가 가까워진다. 지나온 시간이 꿈결 같다.

200km대로 떨어진 순례길 표지석 옆에 선 남편

순례 초반에는 배낭을 메고 걷던 순례자 중 많은 이들은 걷는 거리와 날짜가 길어지면서 배낭 택배를 이용하기 시작했다. 특히 나이 든 순례자는 우리나라, 서양 상관없이 택배를 이용하는 비율이 늘었다. 몸과 체력의 한계는 어쩔 수 없는 것 같다. 남편은 처음부터 택배를 이용한 자신의 판단이 옳았음을 다른 순례자들이 증명하는 거라고 한다.

남편은, 순례가 꼭 고행을 동반해야 하는 것도 아니고, 순례길에 이미 택배 제도가 갖춰져 있는데 그것을 이용하는 게 무슨 문제냐고 한다. 배낭 택배를 이용한 덕분에 우리가 지치지 않고 걸을 수 있고, 특히 내가 블로그에 글을 매일 올릴 수 있던 거라며 의기양양했다.

남편 무릎이 아프다는 말을 들은 후 나는 배낭 택배 이용에 대해 더 이상 이야기하지 않았다. 대신 내가 느끼는 불편함을 개선하려 남편과 계속 조율했다.

무거운 배낭을 안 메고 걸었지만 걷는 동안 충분히 많은 것을 느꼈고, 오히려 무거운 배낭이 없어 힘도 덜 들고 일찌감치 도착하여 충분히 쉬고 글도 썼다.

이제 걷기에 익숙해져서 25km 내외는 거뜬하게 걷고 있다. 오늘도 26km 정도 가뿐하게 걸어 목적지에 도착했다. 메세타 고원을 걷는 동안 구름 낀 날도 많았고, 바람도 간간이 불어 걷는 데 도움이 되었다. 듣던 만큼 메세타 고원이 그렇게 지루한 구간은 아니다.

그동안 우리가 이용했던 사립 알베르게는 오래된 옛 건물을 개조한

경우가 많았는데 오늘 묵은 곳(La Huella Pilgrims)은 새로 지은 건물이라 깔끔했다.

인터넷 사이트에 깨끗하고 좋다는 우리나라 순례자의 후기가 많았지만, 밥 해서 먹을 주방뿐만 아니라 음식을 데울 전자레인지조차 없어 우리는 불편했다. 특히 이층 침대의 일 층이 너무 낮아 앉지도 못하고 누워있어야만 한다.

알베르게에서 운영하는 식당은 7시가 넘어야 저녁을 먹을 수 있어서 우리의 리듬에 맞춰 점심 겸 저녁을 먹기 위해 근처 식당(Los Picos)을 찾아갔다. 메뉴에 쌀밥과 달걀부침이 있어 주문했는데 푸짐하고 맛도 괜찮아서 만족스러웠다.

식사 후 내일 아침과 걸으면서 먹을 간식을 사려고 슈퍼마켓에 갔다. 내가 좋아하는 수박이 눈에 먼저 띄었다. 올해 처음 보는 수박이다. 조각도 판다고 해서 두 조각을 잘라 무게를 달고 돈을 냈다. 우리나라 비닐 하우스 수박처럼 진한 단맛은 아니지만, 수박 향이 풍기는 달콤한 수박 물이 입안 가득 찼다. 스페인 수박 한 조각에 잠시 행복을 느꼈다.

나갔다가 오는 사이 햇볕이 좋아 널어놓은 빨래가 다 말랐다. 그동안 해오던 대로 할 일을 마무리하고 쉬며 또 하루를 보낸다.

나무가 있으면 걷기 수월해지는 메세타 고원. 오늘은 나무를 자주 만났다.

아스토르가 식당에서 당한 사기 (5월 3일 수)

산 마르틴 델 카미노 San Martin del Camino ~ 아스토르가 Astorga

어제 머물렀던 알베르게(La Huella Pilgrims)는 새 건물이라 깔끔했지만 일찍 출발하는 순례자한테는 최악이었다. 좁은 복도 이외 어떤 여유 공간도 없어, 순례자들은 좁은 복도에서 뒤엉켜 짐을 싸고, 쭈그리고 앉아 등산화를 신느라 북새통이었다.

야외에 의자가 있긴 했지만 춥고 전등도 없어 깜깜했다. 전자레인지조차 없어, 데울 필요 없는 샌드위치를 샀지만 편하게 먹을 공간이 없어 세탁실에서 선 채로 먹고 출발했다. 알베르게를 벗어나 숨을 크게 쉬었다.

어둠 속에서 현란한 새소리가 들렸다. 그러더니 고요함이 밀려왔다. 우리는 적막함을 즐기며 걸었다. 서서히 먼동이 터오며 하늘 전체가 붉게 물들었다. 현실이 아닌 듯 환상적이다. 길옆에 흐드러지게 핀 아카시아꽃에 마음이 들떴다.

해가 떠오를 즈음 리 오르비고에 도착했다. 마을 입구에서 보이는 길고 오래된 다리와 넓은 공터는 마상 경기장이라고 한다. 다리처럼 보이는 곳은 관중들이 구경하는 관람대인 것 같다. 지금도 실제로 행사가 열리는지는 모르겠지만 영화 속에서 본, 갑옷 입은 사람을 태운

말이 달리는 경기 장면이 눈에 그려졌다.

오늘 목적지 아스토르가로 가는 갈림길이 나왔다. 왼쪽은 거리가 가깝지만 차도 옆을 걷고, 오른쪽은 조금 돌고 산을 넘는 길이다. 우리는 오른쪽 산을 넘는 길을 선택했다. 차도와 멀어지며 순례길 특유 고요함과 차분함이 느껴지는 들판이 나타났다. 어느새 밀이 많이 자라 밀밭은 흰빛을 띠는 녹색이 되었다. 산은 완만해서 그다지 힘들지 않았다.

구름 사이로 보이는 파란 하늘에 눈이 시렸다. 순례 초기, 파란 하늘에 감동했던 기억이 났다. 사방은 고요하고 평화로웠다. 왜 그런지 가슴이 먹먹했다.

그동안 보면서도 보이지 않던 꽃들이 오늘따라 유달리 내 관심을 끌었다. 아카시아꽃도 한창이고 보라색 라벤더와 빨간 양귀비도 화려한 빛깔을 발했다. 이름을 모르는 꽃들도 자신을 한껏 드러냈다

걷고 또 걸었다. 해는 점점 높아지며 뜨겁게 내리쬐었지만, 덥다고 느끼는 순간 바람이 불었다. 언덕 위에 기부제 카페가 있다. 원하는 음식을 먹고 자유롭게 기부하면 되는데 우리는 배낭에 간식과 물이 있어서 사진만 찍고 지나쳤다.

과일, 물, 빵 등 원하는 음식을 먹고 자유롭게 기부하는 기부제 카페

아스토르가로 들어가려면 기찻길을 건너야 하는데 건널목 대신 커다란 육교가 있다. 자전거, 유모차, 휠체어를 위한 배려인지 육교를 건너려면 계단 대신 경사로를 지그재그로 돌고 돌아 올라가서 길을 건너고 다시 지그재그로 돌아서 내려와야 했다. 기찻길 하나 건너기 위해 얼마나 많이 오르내리며 걸었는지 모른다. 동네 사람들은 기찻길 건너는 것만으로 운동이 충분할 것 같다.

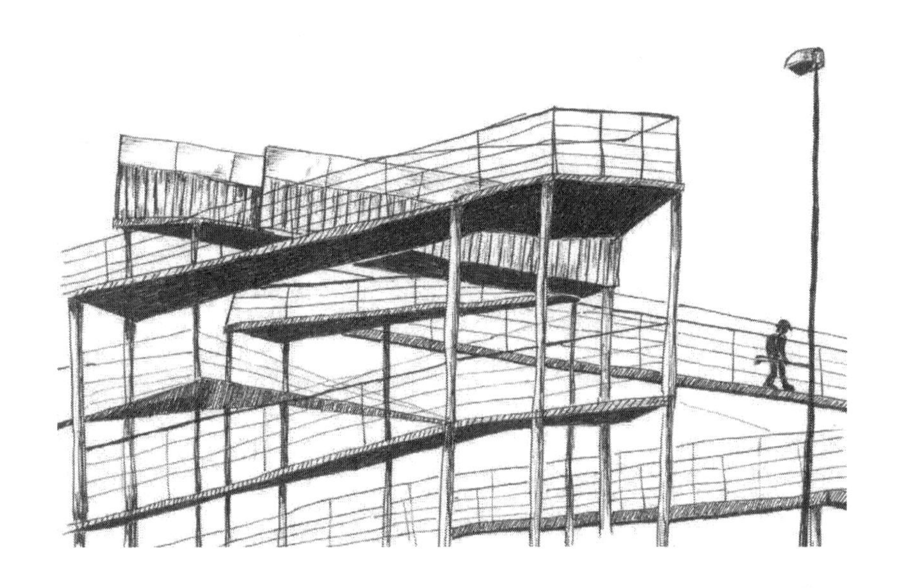

기찻길을 건너려면 엄청나 육교를 돌고 돌아 오르고 내려야 한다.

예약한 사립 알베르게(MyWay Pilgrims Hostel) 주인은 친절했고, 침대도 깨끗하고, 택배로 보낸 배낭도 바로 왔다. 모두 순조로웠다. 그런데 배낭을 정리하던 남편은 탄식을 내뱉었다. 어제 묵었던 알베르게(La Huella Pilgrims)에 핸드폰 충전 케이블을 두고 왔다고 한다. 오늘 새벽 출발 준비할 때 좁은 복도에서 순례자들이 뒤엉켜 북새통을 떠는 통에 모두 정신없었다. 남편은 내가 소음 내지 말라고 해서 제대로 못 챙겼다며 나를 원망했다. 그 말에 화가 났지만 아무 말 못했다.

충전 케이블 무게가 얼마나 된다고, 나는 짐 무게를 줄이겠다며 충전 케이블을 아예 가져오지 않았다. 그동안은 남편 것을 빌려 썼는데 이제 핸드폰 충전을 어떻게 하나 싶어 머릿속에 하얘졌다.

우리는 잠시 멍하니 앉아있었다. 그래도 남편은 정신을 얼른 차리고 알베르게 주인에게 충전 케이블 살 수 있는 가게를 물어보았다. 다행히 아스토르가가 조금 큰 도시라서 충전 케이블을 파는 잡화점이 있다. 어제 머물렀던 곳처럼 작은 마을이었다면, 생각만 해도 아찔하다.

충전 케이블을 사고 가벼운 마음으로 밥을 먹으러 가까운 광장에 있는 식당으로 갔다. 구글 평점도 좋은 곳이지만, 우리가 주문한 '오늘의 메뉴' 맛은 형편없었다. 우리는 음식을 남기지 않는 사람들이지만 이번에는 도저히 다 먹을 수 없었다. 그동안 순례길에서 먹은 어떤 음식도 이 정도는 아니었다. 포도주도 잔 바닥에 깔릴 정도로 양이 작았다.

식사 후 계산서를 보니 금액이 터무니없다. 우리는 지금까지 '오늘의 메뉴'를 먹으며 음료값을 따로 낸 적이 없는데 음료값이 따로 계산되어 있다. 자기네는 '오늘의 메뉴'에 음료가 포함되지 않는다고 하니 뭐라 할 말이 없었다.

그래도 포도주 한 잔 값이 너무 비싸다고 하니, 그건 실수라며 수정된 계산서를 가져왔다. 그것 역시 비쌌지만, 그냥 계산하고 나왔다. 그동안 스페인 산티아고 순례길을 걸으며 이런 일이 없었는데, 액수는 크지 않지만, 기분 나쁘고 힘도 빠졌다.

거리를 걸으며 독수리를 누르는 사자상도 보고, 성당도 보고, 여러 조형물도 보았지만, 흥이 나지 않았다. 일부만 남아있는 옛날 성벽과 공원을 대충 돌아보고 알베르게로 돌아왔다.

새로 산 충전 케이블은 정품이 아니라 충전 속도가 너무 느려 속이 터졌다. 순례 하루하루, 이야깃거리가 매일 생길 거라고는 생각지 못했다. 순례길도 사람 사는 하루하루와 다를 바 없다.

알베르게 근처 성당의 종탑

환상적으로 아름다웠던 순례길 (5월 4일 목)

아스토르가 Astorga ~ 폰세바돈 Foncebadon

어제 머물렀던 알베르게(Albergue my way)도 대다수 사립 알베르게처럼 새벽 출발자를 위한 공간은 없었다. 우리는 또 세탁실에 서서 아침을 먹고 출발했다. 어제 못 본 아스토르가 대성당을 보았다. 조명을 받은 성당은 아름답고, 동화책에 나오는 성처럼 보였다.

마을을 벗어났는데 어슴푸레한 하늘에 환하게 빛나는 구름이 보였다. 늑대가 울부짖는 영화 한 장면이 연상되며 기분이 오싹했지만 자세히 보니, 보름달 빛을 반사하는 구름이었다.

새벽에 뜬 보름달과 보름달을 반사하며 빛 나는 구름은 처음 보는 광경이라 낯설고 신기했다. 넋을 놓고 바라보는데 잠시 후 보름달은 빠르게 서쪽으로 사라졌다.

보름달이 지자, 동쪽에서 해가 뜨기 시작했다. 동쪽 하늘에 있는 구름이 점점 붉게 물들며 하늘 전체가 예술 작품이 되었다. 해가 높아질수록 하늘은 파랗게 보이고 낮게 깔려 독특한 모습을 하고 있던 구름은 붉은색에서 회색과 흰색으로 바뀌었다.

한동안 메세타 고원 평지를 걸었는데 오늘은 산을 올랐다. 초반 완만한 오르막을 지나 본격적으로 산을 오르는데 하늘이 흐려지더니 바람까지 불었다. 덕분에 힘이 덜 들었다.

하늘과 구름이 만들어내는 환상적인 풍경은 무어라 표현하기 어려울 만큼 멋있다. 구름과 하늘을 바라보는데 왜 그런지 가슴이 뭉클했다. 산은 계속되었고 주변은 여전히 아름다웠다. 250km 남았다는 표지석이 나타났다. 두 발로 많이도 걸었다.

구름, 햇빛, 산과 하늘이 만들어내는 풍경은 환상적이며 아름다워서 가슴이 뭉클했다.

목적지 폰세바돈에 거의 다 왔을 때 비가 갑자기 쏟아지기 시작했다. 예상치 못한 비였지만 흠뻑 젖기 전에 예약한 알베르게(Albergue Monte Irago)에 도착했다. 체크인 후 샤워하고 정리를 마쳤을 즈음 비가 그쳤고, 근처 피자 가게로 갔다.

피자 가게에는 이무송 씨와 우리가 순례길에서 자주 만났던 재미교포 아저씨, 은퇴한 부부가 이미 와있었다. 우리도 피자를 주문하고 자연스레 합석했다. 그동안 걸으면서 자주 마주쳤고 같은 알르게에서 지내기도 했던 순례자들이다.

재미교포 아저씨는 보기보다 나이가 많은 70대이고, 은퇴한 부부는 산티아고 순례길을 걸은 후 7월 초까지 여행할 계획이라고 했다. 연예인 이무송 씨는 일반 순례자들과 같이 걷고, 알베르게에서 함께 지내며 자연스럽게 어울렸다. 연예인은 순례길에서 독방을 쓰거나 도우미와 함께 걷는 등 일반인과 다를 거로 생각했던 내 편견이 깨졌다.

그동안 우리 생체 리듬에 맞지 않는 저녁 식사 시간(너무 늦은 시간) 때문에 알베르게의 식사를 거의 사 먹지 않았다. 오늘 묵는 알베르게는 숙박 조건에 저녁 식사가 필수로 포함되어 있다. 다른 곳으로 옮기고 싶었지만, 체크인할 때 비가 쏟아져서 밖으로 나가기가 어려웠고, 동네가 너무 작아 다른 숙소나 식당도 별로 없어 보여 그냥 숙박하기로 했다.

저녁 식사는 곡물과 채소가 들어있는 국과 닭고기가 스쳐 간 밥이다. 식사 시간은 늦지만 소화되기 쉬운 음식이라 소화에 부담은 없었다. 식사 도중 같은 테이블에 앉은 여러 나라 사람과 대화하며 한국으로 돌아가면 영어 공부를 열심히 하겠다고 결심했다. 늘 결심은 하지만…

순례자들이 식사하는 동안 여주인은 아코디언을 연주하고 노래 부르며 흥겨운 분위기로 이끌었다. 식사를 마치자, 여주인은 단순한 돌림 노래를 가르쳤고 순례자들은 즉석에서 배운 노래를 다 같이 불렀다. 반복해서 부르자 곡조가 익숙해졌다. 팀별 경쟁이 붙자, 순례자들은 손뼉 치고 어깨까지 들썩이며 큰 소리로 노래했다. 저절로 흥이 나고 식당 전체는 화기애애해졌다.

남편과 나는 평소 조용히 지내며 노래방도 안 가고 유흥을 즐기지 않던 사람들이라 그런 상황이 처음에는 어색했다. 그래도 신나게 함께 노래 불렀다. 목청 높여 노래하며 분위기가 뜨거워지니 즐거웠다. 순례길 중 특별하고 새로운 경험이었다.

여주인의 아코디언 연주는 흥겨운 분위기를 만들었고 순례자들이 다 함께 부르는 돌림 노래는 즐거웠다.

잃었던 아이폰 충전 케이블 (5월 5일 금)

폰세바돈 Foncebadon ~ 폰페라다 Ponferrada

산 정상 가까운 마을 폰세바돈에서 출발해 산을 넘었다. 새벽 기온은 낮고 바람도 차다. 산 정상에는 '철의 십자가'라 부르는 조형물이 있고, 십자가와 주변에는 저마다 사연을 담고 있는 물건들이 놓여있다. 어둠이 서서히 걷히며 어슴푸레한 분위기 때문인지 신비함과 비장함마저 느껴졌다. 어떤 순례자는 추운데도 불구하고 십자가 근처에서 넋을 놓고 한참을 있었다.

순례자들에게 위로를 주는 '철의 십자가'라 부르는 조형물

그곳에서 다시 만난 이무송 씨는 우리의 자세까지 연출하며 사진을 찍어주었고 덕분에 우리는 인생 사진을 얻었다. 사진 몇 장 찍으니 손도 곱고 너무 추워서 더 머물기 어려웠다. 부지런히 내려오는데 해가 완전히 뜨고 날이 밝았다. 패딩을 입었지만 춥고 차가운 바람에 손끝이 얼어 스틱을 쥐기 힘들었다.

멀리 푸드 트럭과 장작이 타고 있는 난로가 보여 반가웠다. 카페 콘레체와 빵을 사 먹으며 타오르는 난로에 손과 몸을 녹였다. 따뜻해지니 살 것 같았다. 산 위에서는 순례자들이 추위에 떨며 계속 내려오고, 몸이 데워진 우리는 따뜻한 자리를 양보하고 다시 걸었다.

따뜻한 장작 난로 앞에서 빵과 커피를 마시니 꽁꽁 언 몸이 녹았다.

오늘 26km 정도 걸었는데 산을 오르내려서 7시간 이상 걸렸다. 산을 넘으니, 집 형태가 완전히 달라졌다. 산 동쪽 집들은 성벽이나 요새를 연상시키는 두꺼운 벽과 폐쇄적인 대문으로 바깥과 단절된 모습이었다. 반면 산을 넘은 서쪽 이곳은 2층에 발코니가 있고, 문이 좀 더 개방적이다.

발코니가 있고 개방적인 집이 있는 골목을 지나는 자전거 탄 순례자

며칠 전 핸드폰 충전 케이블을 잃어버리고 아스토로가에서 샀던 충전 케이블은 충전하는 데 시간이 너무 오래 걸린다. 나는 불편해도 어쩔 수 없다고 포기했지만, 남편은 나와 다르게 해결 방법을 고민했다.

남편은 먼저, 우리가 묵었던 알베르게에서 충전 케이블을 보관하고 있는지 확인했다. 다음 배낭 택배기사에게 충전 케이블을 가져다줄 수 있는지 문의하고 가능하다는 답을 받았다. 다시 충전 케이블을 보관하고 있는 알베르게 주인에게 충전 케이블을 택배 기사에게 전달하도록 부탁했다.

한국이었다면 간단한 일지만, 우리는 영어도 능숙하지 못하고 스페인어는 전혀 불가능하고 또 전화가 안 되는 e-심을 이용하고 있어 생각만큼 간단한 일이 아니었다.

남편은 이 모든 과정을 번역기와 문자로 해결했다. 그런데 충전 케이블을 보관하고 있는 알베르게 주인이 택배 기사에게 케이블을 전달하도록 해야 하는데, 남편이 문자를 보내도 답이 없었다. 그러자 어제 머물렀던 알베르게 여주인에게 전화 통화를 부탁했고 여러 차례 시도로 통화가 되었다. 스페인어로 주고받는 대화가 한참 이어졌고 마침내 우리는 잃었던 아이폰 충전 케이블을 오늘 머무는 알베르게(Guiana hostel)에서 전달받았다.

아스토로가에서 산 핸드폰 충전 케이블은 정품이 아니라 충전 속도가 너무 느리고, 순례길에서 정품은 사기 힘들고, 설령 정품을 산다고 해도 택배가격 6유로보다 훨씬 비싸서, 남편은 잃어버린 충전 케이블을 찾기 위해 최선을 다했을 뿐이라고 말한다.

충전 케이블을 버리지 않은 알베르게 청소원, 보관했다가 전해준 알베르게 주인, 케이블을 전달해 준 택배기사(택배 비용은 냈지만), 스페인어로 전화 통화를 대신해 준 알베르게 여주인의 도움과 배려가 있어 가능한 일이었다. 그들의 친절과 도움이 고맙다.

남편의 문제해결력이 좋다는 사실은 알았지만, 이번 일로 국제적으로도 증명되었다. 남편에게 존경을 표했더니 별일 아니라고 하면서도 어깨와 입꼬리가 한껏 올라간다. 남편도 고맙다.

매일 일어나는 새로운 해프닝 (5월 6일 토)

폰페라다 Ponferrada ~ 비야프란카 델 비에르소 Villafranca del Bierzo

어제 묵었던 구이아나 호스텔(Guiana hostel) 알베르게는 침대 있는 방과 화장실, 세면대, 샤워장, 사물함이 있는 공간 사이에 문이 있어 두 공간이 분리돼 있다. 새벽에 출발 준비할 때 아직 일어나지 않은 사람들을 방해하지 않으려 조심조심 움직이지 않아도 되고 씻고 짐 싸기도 편했다.

또 자유롭게 이용할 수 있는 넓은 식당에서 우리가 준비해 둔 아침을 편하게 먹었다. 미리 주문하면 아침 식사도 제공되는데 식사를 준비하던 직원은 맛보라며 우리에게 빵을 주었다. 우리가 사용한 컵도 자기가 씻을 테니 놔두라고 했다. 직원의 따뜻한 환송을 받으며 기분 좋게 출발했다.

성당과 광장 등 구시가지를 통과해 시 외곽을 향해 걸었다. 우연히 고개를 돌려 동쪽을 보니 붉은 하늘이 구름, 해, 나무와 조화를 이루며 환상적으로 보였다. 근처에 있는 붉은빛을 받은 성모 마리아상도 아름다웠다. 나도 모르게 두 손을 모았다.

아름다운 성모 마리아상 앞에서 자연스레 두 손을 모았다.

시간이 흐를수록 하늘이 어두워지더니 비가 내리기 시작했다. 비는 점점 더 세차게 내렸다. 나는 고어텍스 바람막이를 입어 몸은 괜찮은데 바지가 홀딱 젖었다. 남편은 판초 비옷을 입었지만, 안에 매고 있던 배낭까지 젖었다.

몇 시간 쏟아부은 후 비는 그쳤다. 비가 그치니 초록색 풀들이 더 싱그럽게 살아났다. 강을 지나 완만한 산을 오르니 동화책에 나올 듯한 예쁜 집이 많이 보였다.

비가 내린 후 풍경은 너무 예뻐서 영화 속 장면처럼 느껴졌다.

포도밭 크기는 동쪽 지역보다 작지만, 포도나무에는 앙증맞은 포도 알갱이들이 달렸다. 순례길 초기 싹이 나는 걸 보며 걷기 시작했는데 벌써 한 달이 흘렀고 열매가 맺혔다. 장미꽃도 한창이고, 비가 갠 후 풍경은 너무 예뻐서 괜히 가슴이 두근거렸다.

오늘 목적지 비야프란카 델 비에르소 공립 알베르게는 침대 수가 많아, 선착순으로 충분히 들어갈 수 있다며 남편은 예약하지 않았다. 그런데 막상 도착하니 정문에 운영하지 않는다는 안내문이 붙어있다. 남편은 배낭을 이곳으로 보냈다는데 배낭 행방이 묘연했다. 순간 오늘 어디에서 자야 할지 막막함이 밀려왔다.

남편은 배낭 택배기사와 문자를 주고받으며 우리 배낭이 있는 알베르게 위치가 표시된 사진을 받았다. 사진을 보고 찾아간 곳이, 연기자 유해진이 나왔던 '스페인 하숙'을 촬영했던 '산 니콜라스 엘 레알 호스텔' 알베르게다.

체크인하고 침대를 배정받은 후 택배 보관 장소로 갔다. 배달된 많은 배낭 중에 우리 배낭이 없다. 세세함이 떨어지는 남편은 택배 기사에게 받은 사진을 대충 보며, 걷다가 보이는 그 알베르게라고 추측한 거였다.

남편은 배낭을 찾아오겠다며 혼자 나갔다. 한참 기다려도 오지 않고 문자 답도 없어 나는 애가 탔다. 남편은 돌아오는 길에 지도를 또 대충 보고, 좁고 복잡한 골목과 계단으로 이루어진 이 동네를 헤매느라 시간이 오래 걸렸다고 한다.

온종일 걷고, 우리 둘의 짐이 몽땅 든 무거운 배낭을 메고 온 동네를 헤매느라 고생한 남편 얼굴은 반쪽이다. 시간이 늦어져 배고픈 우리는 샤워와 짐 정리를 빠르게 하고 바로 앞 광장에 있는 식당으로 달려갔다.

우리가 머문 알베르게는 커다란 수도원 일부다. 나머지 공간은 호텔로 이용되는데 호텔과 알베르게는 같은 건물이지만 분위기는 완전히 딴 판이다. '스페인 하숙'을 촬영했던 곳은 건물 뒤쪽인데 모두 잠겼고 마당은 방치되어 쓰레기와 잡초가 무성하다.

알베르게 방에서는 와이파이도 안 되고 샤워장과 화장실이 남녀 구분 없어 불편하다. 그래도 배낭을 무사히 찾았고, 일회용이 아닌 깨끗하고 하얀 면 시트가 깔린 일 층 침대와 쉴 공간이 있다는 사실에 감사한다.

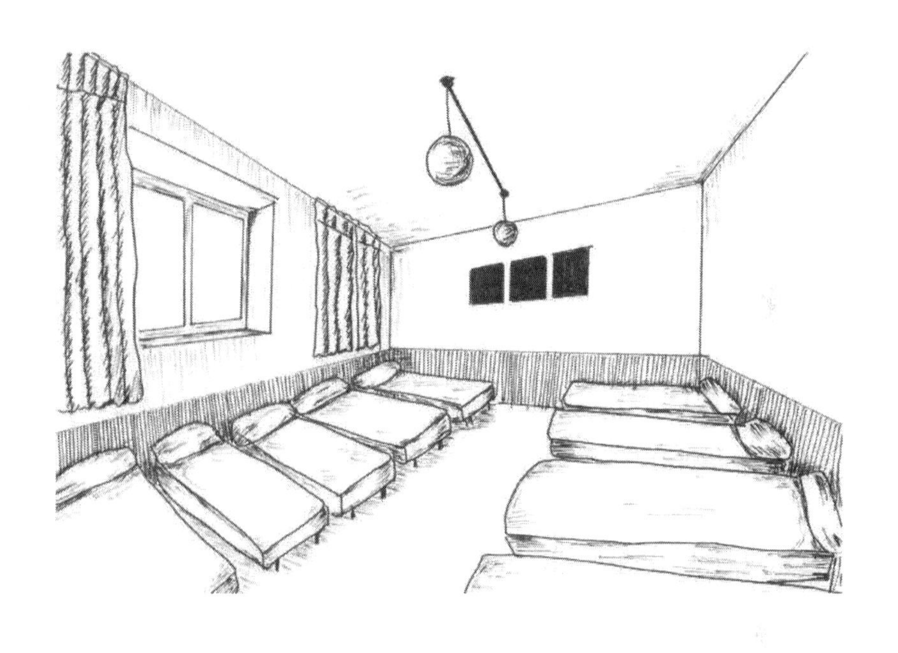

와이파이도 안 터지는 수도원 방이지만, 깨끗한 면 침대 커버가 씌워진 일층 침대라는 사실만으로도 고맙다.

7부 마음으로 하는 소통

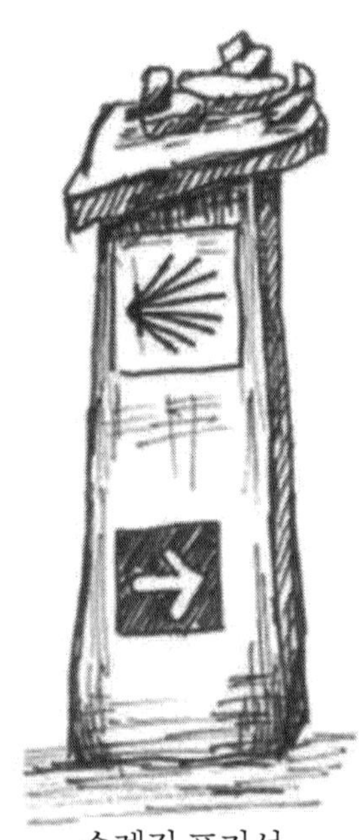

순례길 표지석

순례길에서 알게 된 파스타 맛 (5월 7일 일)

비야프란카 델 비에르소 Villafranca del Bierzo ~ 라 라구나 데 카스티야 La Laguna de Castilla

와이파이도 안 되던 산 니콜라스 수도원 알베르게는 새벽에는 전기가 아예 안 들어와 화장실도 깜깜했다. 어둠 속에서 순례자들은 핸드폰 불빛에 의지해 더듬거리며 움직였다. 이런 곳은 처음이다. 얼마전 세탁실에서 샌드위치를 먹고 출발했던 사립 알베르게도 전기는 들어왔다. 그래도 우리는 계획대로 출발했다.

밖으로 나오니 달이 서쪽으로 넘어가기 전 밝게 빛나고 뻐꾸기가 멀리서 울었다.

오늘도 산을 올랐다. 작은 동네를 자주 지나쳤고 사람이 살지 않아 폐허로 쓰러져 가는 집이 자주 나타났다. 오래된 전통 집의 구조를 살펴보고 그 집에서 살았던 사람들을 상상하며 걸었다.

나무도 많고 계곡에 물도 흘러 그동안 걸었던 메세타 평원과는 분위기가 완전히 달라졌다. 산과 계곡이 많은 이 근처는 사람들이 많이 놀러 오는 휴양지인 것 같다.

아스팔트가 깔린 산길을 한참 걸은 후 흙길이 나왔다. 풀밭에서 소들이 자유롭게 풀을 뜯고 있다. 소가 그렇게 우렁차게 울고, 겅중겅중 뛰어다니는 줄 처음 알았다. 하늘은 파랗고 바람은 시원하고, 물감을

흩뿌린 듯한 노란 꽃이 예뻤다. 산에 오를수록 풍경은 더 멋있어 졌다. 그러나 길에는 가축 똥이 너무 많아 발을 디딜 곳을 찾기 어려웠다.

남은 거리가 100km대로 떨어졌다. 마냥 기쁘고 신날 줄 알았는데 설명하기 힘든 여러 가지 감정이 일어난다.

소들이 자유롭게 풀을 뜯으며 목청껏 울고, 겅중겅중 뛰어다니는 목장 풍경이 아름답다.

높은 산을 넘어야 하는 본격적인 산행에 앞서 바(bar)에서 쉬면서 맥주를 마셨다. 어제 먹었던 파스타가 생각났다. 시간상 파스타를 파는 시간은 아니었지만, 혹시나 하는 마음에 남편은 주인에게 부탁했다. 주인은 흔쾌히 파스타를 바로 만들어 주었다.

소스에는 별다른 특별한 재료도 안 들었지만 방금 만든 따뜻한 파스타는 지금까지 먹어 본 중 최고다. 파스타는 소스 맛이 아니라 국수 맛이다. 스페인 밀가루는 특별하다. 매일 파스타를 먹겠다고 생각했다.

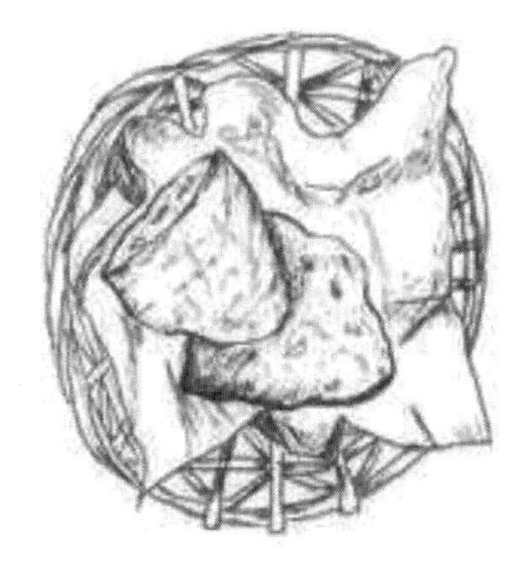

파스타는 소스가 아니라 국수 맛이다. 파스타와 함께 나온 빵도 맛있다.
스페인 밀가루는 특별하다.

땀을 흘리며 산을 올랐다. 무리를 하지 않으려고 산 정상을 코앞에 둔 마을에 머물기로 했다. 그곳도 아주 작은 마을이라 알베르게(Albergue la escuela)에 딸린 식당 외에는 다른 식당도 슈퍼마켓도 없다.

산길을 걸어서 피곤하고 허기진 우리는 '오늘의 메뉴'에 나온 푸짐하고 맛있는 음식을 모두 깨끗하게 먹고 함께 나온 수제 포도주 큰 병을 통째로 비웠다.

알베르게 뒤쪽 산비탈 잔디에 앉아 햇볕을 쬐며 쉬었다. 바람과 햇볕이 좋아 널어놓은 빨래가 잘 말랐다. 바로 옆에서 소와 말이 풀을 뜯는다. 마음이 평화롭다.

오래된 부부의 내공 (5월 8일 월)

라 라구나 데 카스티야 La Laguna de Castilla ~ 트리아카스텔라 Triacastela

우리 리듬대로 새벽에 출발했고, 해가 뜨기 전 산 정상에 있는 오 세브레이로에 도착했다. 산 정상에서 붉은 여명이 아름다운 하늘을 보고 놀랐고, 마을 전체가 돌 건물로 이루어진 기이한 모습에 또 놀랐다. 영화 속 장면처럼 비현실적이고 신비로웠다.

사전 지식이 없어 검색하니 이곳은 로마 시대 이전부터 있었던 마을로 기적이 많이 일어났다고 한다. 특히 돌과 짚으로 만든 움집이 눈길을 끌었는데 고대 켈트족이 살았던 원시 형태의 집이라고 한다. 역사를 품은 유물이다.

고대 켈트족이 살았다고 하는 특이한 움집은 오랜 시간을 간직하고 있다.

오 세브레이로 교구 신부였던 돈 엘리아스 발리냐는 산티아고 순례길을 부활시키는 데 평생을 바쳤고, 순례길 방향을 알리는 노란색 화살표를 처음으로 그리기 시작했다고 한다. 이 신부님이 없었다면 지금의 스페인 산티아고 순례길은 없었을 거라고 한다.

우리나라 단체 순례자들(수녀들이 운영하는 알베르게에서 우리에게 불똥 떨어졌던 트렁크의 주인들)을 만났다. 서로 반갑게 인사했다. 어제 이곳에서 머물며 저녁 미사에 참석해 감동의 시간을 보냈고 신부님께 작은 선물도 받았다고 자랑한다. 단체 순례의 장점 같다. 우리는 마음대로 자유롭게 다니는 장점은 있지만, 순례길에 대한 정보가 부족하고, 여러 사람이 함께하며 확장되는 감동을 맛보기 어렵다.

우리나라 산 크기와는 비교도 되지 않을 큰 산을 오르내리며 스페인이라는 나라의 땅 크기를 실감했다. 아스팔트로 된 산길이나 땡볕 아래 걷는 것도 힘들지만 그보다 더 힘든 건 가축 똥 냄새다. 특히 산과 산 사이 마을을 걸을 때 축사에서 나는 냄새와 길바닥에 마구 흩어져 있는 가축 똥은 적응이 안 된다.

몇백 년 되어 보이는 나무와 돌로 된 집들이 있는 오래된 마을도 지났다. 초기 형태의 성당이라는 특이하고 음산한 건물도 보았다. 성당 틈으로 살짝 엿본 성모상은 섬뜩해서 놀랐다.

오늘 남편과 잠깐 다투었다. 앞에서 걷는 순례자보다 우리 걸음 속

도가 빨라 앞질러 가려다 뒤에서 우리보다 더 빨리 걸어오는 순례자의 진로를 본의 아니게 방해했다. 그 상황을 미처 파악 못 한 남편에게 알려주려 몇 마디 했더니 갑자기 남편은 “내가 그렇게 몰상식한 놈인 줄 알아?”라며 불같이 화를 내며 욕까지 했다. 나는 어이가 없고 기분도 상해 잠시 떨어져 따로 걸었다.

내 말을 오해했거나 딱딱한 말투가 거슬렸던 것 같다. 새벽에 출발 준비하며 소리 안 나게 하라고 여러 번 말했던 게 남편에게는 스트레스였나 보다.

걷기는 마음을 가라앉히고 치유하는 효과가 있는지 한참 걷다 보니 별일 아니라는 생각이 들었고 남편도 마찬가지였던 것 같다. 남편이 다가와 “무조건 네가 옳아”라며 화해의 몸짓을 했다. 나도 부드럽게 말하지 않은 잘못이 있지만 “당연하지.”라며 어깨를 나란히 하고 함께 걸었다. 이런 게 바로 30년 넘게 살아온 부부의 내공일 거다. 마음이 다시 평온해졌다.

사실 순례길에서 내가 편하게 걸을 수 있는 건 남편의 수고 덕분이다. 숙소 예약부터 빨래까지 온갖 자질구레한 일들을 다 한다. 덕분에 순례길에서 나는 지금까지 살아온 그 어느 때보다 편안한 시간을 보낸다. 책임감과 의무감에서 벗어나, 걷는 것 외에 아무것도 할 필요 없는 요즘 나는 긴장감 없이 느긋하다.

이제는 하루 25km 정도 걷기는 적당한 운동으로 여겨지고, 걷기만 하면 하루가 끝이니 신선놀음이라는 생각마저 든다. 은퇴 기념 첫 번째 프로젝트인 산티아고 순례길도 얼마 남지 않았다. 오늘도 행복하게 걸었고 하루를 잘 마쳤다.

오해를 이해로 바꾸며 함께 걷는 산티아고 순례길도 끝이 보인다.

판초 비옷으로 어림없는 폭우 (5월 9일 화)

트리아카스텔라 Triacastela ~ 사리아 Sarria

오늘 사리아까지 왔다. 여기까지 왔다는 건 남은 거리가 100km라는 말이다. 순례길 증명서를 받을 수 있는 최소 거리가 100km다.

우리가 머물던 알베르게 건물은 낡았지만 화장실과 침실이 분리되어 있고, 주방도 따로 있어, 새벽에 여유 있게 아침을 먹고 편하게 출발했다.

종일 비가 예보되었다. 비는 생각보다 많이 내렸다. 지난번 비 올 때 고어텍스 바람막이를 입고 더웠던 기억 때문에 판초 비옷을 선택하고 고어텍스 바람막이는 택배로 보냈다. 비를 맞으며 걷다 보니 판초 안으로 비가 새는 것 같았다. 남편은 새는 게 아니라 결로 현상이라고 했다. 그 말을 들으며 경험 없는 지식의 한계를 실감했다. 나는 소위 과학을 가르치던 사람이었다.

결로 문제점을 최소화한 기능성 소재라는 고어텍스를 입을 때 이런 현상은 없었다, 가벼운 티에 고어텍스만 입었다면 가장 쾌적했을 것 같다. 사람은 경험과 시행착오를 통해 배운다. 그나마 남편과 나 모두 고어텍스 바지는 입고 있어 다리는 젖지 않았다.

주룩주룩 내리는 비를 맞으며 산을 오르내리느라 힘들고 땀이 쏟아졌다. 판초 안은 결로 때문에 흐르는 물과 몸에서 나는 땀으로 뒤범벅

되었다. 판초 모자 안에 챙모자까지 썼지만, 비는 얼굴로 들이치며 흘러내려 앞도 잘 안 보여 고생스러웠다. 어제 순례길 걷는 게 적당한 운동이며 적성에 맞다는 등 쓸데없는 헛소리를 한 것 같다.

산길은 가축 똥과 빗물이 합쳐져 흐르고, 사방에서 가축 똥 냄새가 진동했다. 지난주 내내 똥 냄새를 견디며 걸었는데 빗속에서 맡는 냄새는 유난히 더 심했다.

판초 비옷을 입은 남편

두 시간 이상 걷도록 바(bar)나 카페는 없고 비가 내려 아무 데서나 쉴 수도 없었다. 한참 만에 나타난 바(bar)는 구세주처럼 보였다.

아스팔트와 흙길을 반복하며 산을 오르내리다 보니 비가 조금씩 잦아들었다. 비가 그치니 풀은 상큼하고 밝은 초록색으로 빛났다. 눈앞에 펼쳐진 하얀 물안개와 어우러진 초록빛 예쁜 풍경은 빗길을 걷느라 지친 우리에게 힘이 되었다. 구름이 산을 타고 오르며 약한 비가 계속 오락가락하더니 서서히 하늘이 보이기 시작했다. 정말 힘든 날이다.

비와 땀에 젖은 우리는 물에 빠진 생쥐 꼴인데, 사리아가 가까워지니 거짓말처럼 비가 그치고 해가 났다. 여느 마을처럼 강이 있어서 다리를 건넜다. 사리아 외곽에는 아파트가 많다.

산티아고까지 100km 남은 것을 기념하며 편하게 쉬려고 펜션(Pension Escalinata)을 예약했다. 당연히 주방이 있으리라 생각했는데 그냥 화장실 딸린 방이었다. 주방은커녕 세탁실도 없다.

비가 내리는 바람에 쉬지 못하고 계속 걸어서 일찍 도착했지만, 택배 보낸 배낭은 우리보다 늦게 도착했다. 배낭 도착 후 빨래방 찾아 빨래하고 나니 모든 식당과 바(bar)는 브레이크타임이라 음식을 안 판다. 대부분 가게도 철문을 내리고 영업을 안 한다. 다른 지역에서는 브레이크타임에도 영업하는 식당이나 바(bar)를 찾을 수 있었고, 부탁하면 음식을 만들어 주기도 했는데 사리아에서는 어림없다.

식당은 포기하고 슈퍼마켓을 찾는 중 영업하는 빵집이 보였다. 배고파 쓰러지기 직전이었던 우리는 반가운 마음에 얼른 들어가 눈에 보이는 대로 주문했다. 오렌지 주스, 추로스, 빵 2가지, 초콜릿, 포도주까지 마셨는데 10유로도 안 나왔다. 스페인은 기본 먹거리는 정말 싸다.

10유로도 안 되는 돈으로 남편과 나는 배부르고 맛있게 한 끼를 해결했다.

지금까지 700km를 걸었고 집 떠난 지 한 달이 넘었다는 사실이 실감 나지 않는다. 순례길 끝이 보인다.

구멍 나거나 잃어버린 옷들 (5월 10일 수)

사리아 Sarria ~ 포르토마린 Potomarin

우리가 머물렀던 펜션 일 층은 바(bar)다. 어제 펜션에 도착해서 체크인하려고 기다리는 동안 주인아저씨는 타파스를 만들어 주며 청소가 끝날 때까지 기다리며 먹으라고 했다. 물론 무료였다. 우리에게 호의를 베푼 주인아저씨가 고마워서 오늘 아침밥은 바(bar)에서 사 먹고 느긋하게 출발했다.

사리아에서 출발하는 순례자들과 계속 걸어온 순례자가 합쳐지며 순례길은 활기차고 들떴다. 각양각색 배낭을 멘 청소년 단체 순례자들도 씩씩하게 걸어간다. 그 모습이 귀엽고 기특했다.

사리아를 벗어나 작은 언덕을 오르내렸다. 안개가 주위를 온통 뒤덮어 바로 몇 미터 앞도 잘 보이지 않았다. 오래된 나무가 울창한 길도 지나고, 목장도 지나고, 들판도 지났다.

집을 돌로 만들고 밭 주변에 돌담을 쌓은 곳을 지났다. 돌이 많고 바람이 강한 지역이라는 걸 한눈에 알 수 있다. 주변 자연환경을 이용하며 살아가는 모습은 어느 나라나 마찬가지다.

풍경은 아름다운데 오늘도 역시 가축 똥 냄새는 심했고, 여러 날 걸어도 적응되지 않는다.

산티아고까지 남은 거리가 100km대로 떨어진 다음부터는 남은 거리를 알려주는 표지석이 자주 나타났고 우리도 카운트 다운하며 걸었다. 드디어 100km 표지석을 통과했다. 순례자들은 기념사진을 찍으며 환호했다. 기쁨과 뿌듯함 그리고 뭐라고 설명하기 어려운 복잡한 감정이 일었다.

100k 표지석 앞에서 순례자들은 기념사진을 찍으며 서로 축하했다.

폭이 넓은 강의 긴 다리를 건너 오늘 목적지 포르토마린으로 들어왔다. 높은 돌계단을 올라 중심가로 가니 십자가 조형물이 보였다. 우리는 포르토마린 글씨 앞 포토 존에서 기념사진을 찍고 알베르게(Manuel Hostel)로 향했다.

다인실 침대 두 개 비용과 이인실 방값이 별 차이 없어 이인실에서 묵었다. 주방을 사용할 수 있어 밥을 만들어 먹기로 하고, 브레이크타임 걱정을 하며 부지런히 장을 보러 갔는데 다행히 영업한다. 브레이크타임에 적응할 때도 된 것 같은데 여전히 불편하다.

점심 겸 저녁을 만들어 먹고 동네를 구경하러 나갔다. 포르토마린 성당은 지금까지 보아오던 성당과 달랐다. 단순한 외관과 성당 내부도 화려한 장식 없이 간단해서 현대적인 느낌마저 들고 방어를 위한 성처럼 보인다. 우리는 기부금으로 동전을 내고 도장(쎄요)을 받았다.

한 달 넘게 걸으니 남편 양말 두 켤레 모두 구멍 났다. 아침에 급한 대로 사리아 기념품 가게에서 양말을 사서 신었는데 너무 얇아 불편하다며 이곳 스포츠용품점에서 모가 많이 포함된 두툼한 양말을 다시 샀다.

짐을 정리하다 보니 내 티셔츠와 양말 한 켤레가 안 보인다. 언제 어디서 잃어버렸는지도 모르겠다. 얼마 전 빨래를 다 걷었다고 생각했던 날, 잔디밭에 떨어진 남편 팬티를 뒤늦게 주워 온 적도 있다. 여러 사람이 함께 이용하는 세탁기와 건조기 또 빨랫줄에서 빨래를 잃어버리지 않고 제대로 챙기는 일은 쉽지 않다.
거의 매일 같은 옷만 입어서 내 바지 아랫단 근처도 마찰로 구멍이 뚫리고, 새로 사서 입고 왔던 상의도 낡았다. 한 달은 결코 짧은 시간이 아니다.

4일만 지나면 산티아고 데 콤포스텔라에 도착한다고 생각하니 기분이 묘하다. 저녁때가 되니 바람이 심하게 불고 기온이 내려가며 추워진다.

소통은 언어로 하는 게 아니야 (5월 11일 목)

포르토마린 Portomarin ~ 파라스 데 레이 Palas de Rei

어제 알베르게에서 벌레에 물렸다. 저녁 9시가 다 되어가는 시간이지만, 구글지도를 검색하니 약국이 영업 중이라 바로 달려갔다. 약사는 무슨 벌레인지 모르겠지만 위험하지는 않고 약을 바르면 괜찮을 거라 한다. 또 뭐라고 열심히 설명했는데 내 짧은 영어 실력으로는 알아들을 수 없었다. 약을 발랐더니 벌레 물린 곳이 차츰 가라앉았다.

벌레 물린 사실을 알베르게 주인에게 알렸더니 집으로 돌아갔던 주인이 알베르게로 다시 왔다. 자신은 전혀 벌레를 본 적이 없고, 사리아 (전날 머물렀던 곳)에서 물려왔을 수도 있다고 한다. 난감했지만, 나도 벌레를 못 보았고, 여기서 물렸는지 확실하지도 않지만, 이 침대에서는 자고 싶지 않고 방을 바꾸고 싶다고 침착하게 말했다.

2인실이 다 찼다던 주인은 3인실이 비었으니 가서 자되 짐은 다 두고 가라고 했다. 배낭에 붙어서 벌레가 방이나 침대로 오는 경우가 종종 있다고 한다.

주인은 스페인어밖에 못하고 우리는 스페인어를 전혀 못 하고 번역기는 제대로 작동되지 않았지만 소통할 수 있었다. 어쨌든 주인이 내 요구에 바로 오케이 하니 고마웠다. 소통이란 말로만 하는 게 아니라는 생각이 든다. 같은 언어를 사용해도 서로 이해하지 못할 수 있고,

어제처럼 언어가 달라도 서로 이해할 수 있다. 순례길에서 그 사실을 여러 번 체험했다.

5월 중순이지만 아침 기온이 5도까지 떨어져 다시 패딩을 입었다. 일교차도 크다. 오전 내내 사방은 안개로 꽉 차 있어 바로 앞도 보이지 않았다.

높이 700m 커다란 산을 오르내렸다. 완만한 오르막이 산 정상으로 이어졌다. 숲길을 한참 걷다 보면 어느 순간 확 트인 들판이 나타나고 또 숲길이 나타나기를 반복했다.

순례길을 걷는 동안 생각은 사라지고 마음은 고요하고 평화로워진다.

아무 생각 없이 걸었다. 순간순간 감각에 충실해 좋은 풍광 보면 감탄하고, 힘들면 쉬고, 더우면 옷 벗고, 추우면 옷 입고, 목마르면 물 마시고, 배고프면 간식 먹고 걷는다. 그리고 숙소에 도착해서 하루를 정리하며 글 쓰고 쉬는 그 자체로 행복하고 평화롭다.

순례길이 사흘밖에 남지 않았고 남은 거리가 줄어들수록 머릿속이 텅 비어 간다. 남편에게 물으니 나와 함께 걷는다는 사실이 그저 좋을 뿐이라고 한다. 하긴 남편은 감성, 철학, 느낌 그런 것과는 거리가 먼 지극히 현실적인 사람이다.

살면서 남편을 제외한 다른 사람의 도움이나 배려를 받을 일이 별로 없었다. 그런데 순례길에서 배려와 도움을 많이 받고 있다. 덕분에 말도 못 하고, 준비도 부족했고, 스페인 음식 이름조차 모르는데 한 달 이상을 걷고 있다. 나중에 산티아고 순례길을 생각하면 여러 사람의 친절과 배려가 떠오를 것 같다.

오늘 우리가 머무는 알베르게(Duteiro Hostel)에 우리나라 순례자가 많아 한국 단체 순례자처럼 보인다. 주방이 있어, 장을 봐서 샐러드를 만들고, 빵과 치즈, 하몽, 포도주로 점심 겸 저녁 식사를 했다. 순례길 하루가 지나간다.

저녁에도 닫혀 있던 대성당 정문

8부 최고의 선물

순례길 표지석

곡식 창고 '오레오' (5월 12일 금)8. 곡

파라스 데 레이 Palas de Rei ~ 아르수아 Arzua

갈리시아 지방으로 온 이후 추워져서 패딩을 입고 모자도 썼다. 30km 정도 걸어야 하는 날이라 마음을 단단히 먹었다. 순례길 표지석이 자주 나타났고 남은 거리를 나타내는 숫자를 볼 때마다 조바심이 일었다.

갈리시아 지방에는 집마다 조그만 건물이 하나씩 있고 지역에 따라 차이는 있지만, 땅에서부터 높이 떠 있고 벽에 구멍이 뚫렸다는 공통점이 있다. 건물 용도가 궁금했다. 각각 집마다 있는 사당, 시신 안치 장소, 곡식 창고 등 상상의 나래를 펴며 이야기를 나누다가 우리는 내기했다.

갈리시아 지방에서 볼 수 있는
곡식 창고 '오레오'

숙소에 도착해서 검색하니 '오레오'라고 부르는 곡식 창고였다. 내가 이겼다. 이겼다고 좋아하는 나를 보며 남편이 웃고 나도 함께 웃었다.

오늘 목적지 아르수아는 산티아고 데 콤포스텔라와 가까운 곳으로 순례자들의 휴식을 위해 조성된 특화 도시라고 한다. 새로 지은 알베르게와 호텔이 많고, 대형 슈퍼마켓, 식당도 다양하다. 그동안 지나온, 오래된 마을과는 분위기부터 완전히 다르다.

우리가 머문 알베르게(Albergue Turistico Ultreia)도 새 건물이고 식당을 함께 운영하지만 순례자를 위한 주방이 따로 있어 밥을 해 먹을 수 있다. 하지만 날씨도 궂은 데다 많이 걸어서 다른 날보다 더 피곤한 우리는 사 먹기로 했다.

식당으로 내려가 '오늘의 메뉴'를 주문했다. 남편은 소고기 스테이크를 선택했는데 먹음직스러웠다. 한 입 맛을 보더니 엄지손가락을 올린다. 그동안 스페인에서 먹었던 음식 중 최고라고 한다. 내가 선택한 샐러드와 햄버거도 맛있는데 특히 샐러드는 그동안 사 먹던 참치가 들어있는 샐러드와는 차원이 다르다. 아르수아는 잠자리 먹거리 모두 순례자에게 최고인 동네다.

저녁이 될수록 점점 추워지며 바람도 거세지고 비까지 오락가락하며 날씨가 음산하다. 보통은 저녁때 성당에도 가고 마을도 한 바퀴 둘러보지만, 우리 둘 다 피곤하고 특히 남편은 무릎도 아프다고 해서 따뜻한 숙소에서 그냥 쉬었다. 이틀만 걸으면 산티아고 데 콤포스텔라에 도착한다. 순례길 끝이 보인다.

산티아고 도착 하루 전, 무지개의 위로 (5월 13일 토)

아르수아 Arzua ~ 오 페드로우소 O Pedrouzo(O pino)

내일이면 드디어 산티아고 데 콤포스텔라에 도착이다. 산티아고 데 콤포스텔라에 가까워질수록 합류하는 순례자와 여행객이 점점 늘어난다.

무엇보다 식당 메뉴판이 변했다. 스페인어로만 되어있는 묵직한 메뉴판에서 음식을 고르는 일은 어려웠는데 사리아 전후로 메뉴판에는 외국인을 위한 음식 사진과 영어가 등장했다. 달걀부침, 토스트, 베이컨 등 소위 미국식 음식을 파는 식당도 많아졌다. 음식 가격도 전반적으로 조금 더 비싸졌다.

오늘도 느긋하게 출발했다. 성당을 지나 마을을 빠져나가야 하는 곳이 공사 중이라 순례길 안내표시가 가리키는 방향으로 갈 수 없었다. 순례 초기에 그랬듯이 남편은 자기 생각대로 걸음을 옮겼고, 자신 있게 걸어가는 남편 뒤를 나도 아무 생각 없이 따라갔다.

한참 걷다 보니 막다른 길이 되었다. 남편은 스페인 길이 왜 이 모양이냐며 짜증 섞인 화를 냈다. 공사하는 곳으로 되돌아왔고 찬찬히 살펴보니 임시로 만든 순례길 안내표시가 있었다. 그동안 갈림길에서 순례길 표시를 찾으며 차분했던 남편은 원래 모습으로 되돌아갔다.

나는 당혹스럽고 힘이 쭉 빠졌다.

야트막한 산길을 오르내리며 나무들이 울창한 길을 걸었다. 공기가 불안정한 지 비가 내리다 그치기를 반복하고 햇빛이 나면서 동시에 비도 내렸다. 그때 하늘에 환상적인 무지개가 떴다. 두 번째 보는 무지개다. 무지개를 보니 기분이 한결 좋아졌다.

지친 나는 아름다운 무지개를 보며 힘을 냈다.

10km 정도 걸은 후 카페가 나왔다. 카페 콘 레체를 주문하고 배낭에 가지고 있던 삶은 달걀과 같이 먹기로 했다. 남편은 우리가 가지고 다니는 소금을 커피잔 받침에 덜다 실수로 왕창 쏟았다. 내가 만류해도 남편은 소금을 다시 통에 넣겠다며 애를 썼다.

달걀을 먹다 보니 이번에는 소금이 모자랐다. 그냥 먹어도 되건만 남편은 기어코 소금을 더 덜어낸다고 하다가 커피 한 잔을 그대로 쏟았다. 테이블에서 넘쳐흐르는 커피는 의자로 흐르고, 내가 갖고 있던 휴지로는 턱없이 모자라 냅킨을 가져와 겨우 닦았다.

처음에는 내 말을 무시하고 실수한 남편에게 화가 났다. 그러다 생각해보니 남편이 늙어서 저러나 싶어 가슴이 철렁했다. 원래 남편은 내 말을 잘 안 듣지만, 요즘은 아예 못 들었다고 우길 때가 많다. 마음이 심란하다.

순례길에서 시간이 흐를수록 남편은 점점 지치고 힘들어한다. 손빨래를 도맡아 하던 남편 대신 내가 하겠다고 하니, 그건 또 싫다고 해서, 얼마 전부터 이틀에 한 번씩 세탁기와 건조기를 이용했다, 그렇지만 남편은 점점 힘들어하고 예민해진다.

내가 남편과 다른 의견을 말하거나, 내 말을 못 들어서 반복하며 '안 들려요?' 하면 남편은 화를 냈는데, 오늘도 비슷한 상황이 또 일어났다.

대화 도중 남편은 갑자기 시장 가방을 내던지며 왜 윽박지르냐는 터무니없는 말로 나를 당황스럽게 했다. 무엇 때문에 화내는지 물으니, 남편은 가방을 내던진 행동의 정당성만 구구절절 아니 횡설수설

한다. 도저히 대화가 안 돼서 그만뒀다.

한 달 넘게 순례길을 걸었고, 산티아고 도착 하루 전인 오늘은 감동적인 이야기를 쓸 줄 알았는데 덫에 빠진 느낌이다.

우리는 은퇴 후 삶이라는 새로운 인생의 장을 맞이했고 그 출발점이 스페인 산티아고 순례와 이어서 하기로 한 여행이었다. 나는 남편 제안에 별생각 없이 순례길을 걷기 시작해 초반에는 힘들었지만, 적응한 후로는 점점 편해졌다.

그러나 남편은 아니었다. 순례길을 제안하고 전적으로 준비하고 주도했지만 지친 것 같다. 무릎도 아프고, 숙소 예약, 배낭 택배 보내는 등 신경 쓰는 일이 힘든 것 같다. 물어봐도 말을 안 하니 남편의 상태와 솔직한 심정은 모르겠다. 원래 남편은 자신에 대해서 세세하게 이야기하는 사람이 아니다.

큰 나무들이 울창한 숲을 지나 오늘의 목적지 오 페드로우소 알베르게에 도착했다. 우리나라 순례자가 예약을 많이 했는지 속속 도착했다.

우리나라 사람들이 많이 모이니 자연스레 힘도 생기고 목소리도 높아졌다. 저녁에 밥을 함께 해 먹자는 제안을 받았지만, 우리는 해왔던 대로 점심 겸 저녁을 먹겠다며 사양했다. 아니 그럴 기분이 아니었다. 마지막 날인 오늘도 조용히 마무리했다.

산티아고 데 콤포스텔라 도착한 날 (5월 14일 일)

오 페드로우소 O Pedrouzo ~ 산티아고 데 콤포스텔라 Santiago de Compostela

알베르게는 아침부터 들떴다. 20km만 걸으면 산티아고 데 콤포스텔라에 도착한다. 한 걸음 한 걸음 끝까지 걸어야만 한다는 사실에 안달이 난다. 산티아고에 가까워질수록 순례자들이 점점 많이 모여든다. 산티아고 데 콤포스텔라가 보이기 시작하자 누가 먼저라고 할 것도 없이 걸음을 재촉했다. 흐리던 날씨는 산티아고에 가까워질수록 맑아지며 해가 났다.

산티아고 데 콤포스텔라에 들어섰다. 순례자들은 대성당을 향해 또 부지런히 걸었다. 여기저기에서 단체 관광객들이 가이드를 따라다니며 설명을 듣고 있고, 순례자, 관광객이 뒤엉켜 거리는 꽉 찼다.

우리가 해냈다며 남편은 내 손을 꽉 잡았다. 그런데 이상하게도 그때까지 별다른 느낌이 들지 않았다. 거리를 메운 사람들을 헤치며 계속 걸어가니 터널 같은 곳이 나왔고 전통 복장을 한 사람이 악기를 불고 있다. 원초적 감정을 건드리는 거칠고 큰 소리다.

그 악기 소리를 듣는데 이유 모를 뭉클함이 밀려왔고 그 순간 눈앞에 넓은 광장이 나타났다. 바로 산티아고 데 콤포스텔라 대성당 앞이다. 광장은 사람들로 붐볐다. 그제야 800km를 걸어 마침내 이곳에 도착했다는 사실이 다가왔다.

순례길을 걷는 동안 얼굴을 익히고 이야기 나눴던 성당 단체 순례자들(우리에게 불똥 떨어졌던 트렁크의 주인들)을 만났다. 수고했다며 껴안고 서로 완주를 축하했다. 기쁨을 함께 나누니 더 커졌다.

도착한 순례자들은 광장에서 성당을 바라보며 앉거나, 눕거나, 서거나 제각각 자신의 방식대로 기쁨과 감동을 만끽했다. 우리도 바닥에 앉아 잠시 넋을 놓고 있다가 눕기도 하고 사진도 찍으며 감격을 나눴다.

대성당 앞 광장에 주저앉아 감격을 만끽하며 사진을 찍는 남편

정신을 차리고 순례자 사무실로 가서 완주증과 거리 증명서를 받았다. 내 이름이 인쇄된 문서를 보니 800(799)km를 걸었다는 사실이 더 다가왔다. 인천 공항 떠난 지 40일째 되는 날이다.

배가 고팠다. 근처 식당에서 스페인에서 꼭 먹어봐야 한다는 빠에야와 포도주를 주문했다. 해물이 제대로 들어간 빠에야는 그동안 먹었던 음식에 비해 다소 비쌌지만, 오늘 같은 날은 기분을 내는 게 당연하다. 오늘 먹은 빠에야는 지금까지 먹은 어떤 음식보다 맛있었다.

포도주를 마시며, 40일간 남편과 함께하며 느꼈던 감정과 생각을 이야기하며 뒤풀이했다. 대화하니 마음이 한결 편해졌다. 오늘까지는 순례자로서 알베르게에 머물고 내일부터는 호텔로 옮겨 여행자처럼 지내기로 했다.

저녁에 대성당 앞으로 다시 나갔다. 성당 주위에는 사람들이 바글바글했고, 그때 도착하는 순례자들도 있었다. 근처를 구경하며 사진도 찍고, 기념품점에서 산티아고 순례 기념 패치도 샀다.

800km를 무사히 완주해서 흥분도 되고, 기쁘고, 뿌듯하고, 성취감도 느껴지지만, 완주한 것과 상관없이 산티아고 순례는 행복한 선물 같은 시간이었다. 처음으로 책임감, 의무감에서 벗어나 온전히 쉴 수 있었고 여러 천사를 만나 순례자라는 이유만으로 많은 도움, 배려, 호의를 받았다. 오늘은 산티아고 데 콤포스텔라에서 보내는 느긋한 첫 날밤이다.

대성당 근처는 관광객과 순례자의 감동과 감격의 분위기가 진동한다.

대성당 순례자를 위한 12시 미사 (5월 15일 월)

어제, 저녁 미사도 있었지만 대 향로(보타푸메이로)는 12시 미사에서만 피운다고 해서 오늘 12시 미사에 참석했다. 11시도 안 되어 성당에 도착했지만 좋은 자리는 이미 다 찼고 시간이 흐를수록 사람들이 점점 늘었다. 미사를 보려는 사람들뿐만 아니라 여행자, 가이드가 이끄는 단체 관광객 등 성당을 구경하려는 사람들까지 성당 안은 발 디딜 틈이 없다.

우리는 자리를 잡고 앉아 미사 시간 전까지 교대로 성당을 둘러보았다. 지하에 있는 야고보 성인 무덤을 보려고 줄 서서 내려갔다. 창살 너머 안쪽 깊숙이 관이 안치된 곳 앞에서 성호를 그었다. 어떤 외국 아주머니들은 야고보 성인 무덤 앞에서 눈물을 줄줄 흘리며 애도했다.

미사가 시작되었다. 가슴이 두근거렸다. 세계 각국 사람들이 함께 드리는 미사는 감동 그 자체였고, 미사를 진행하는 말은 잘 알아듣지 못했지만 아무 상관없다.

미사 말미 대 향로(보타푸메이로)의 향을 피운다는 말에, 차분하던 미사 분위기는 술렁이기 시작했다. 여러 사람이 매달려 줄을 당기자, 대 향로(보타푸메이로)는 향 연기를 피우며 높이 치솟아 올랐다가 그네를 타며 공중을 가로질러 오르내렸다. 향 연기가 성당 안을 메웠고 그야말로 감동과 흥분의 도가니였다. 사람들은 연신 흐르는 눈물을 닦았고, 내 가슴속에도 뭉클하고 뜨거운 무언가 올라왔다.

보타푸메이로가 오르내릴 때 사람들은 일제히 핸드폰을 꺼내 사진을 찍었지만, 제지는 없었다. 미사까지 보고 나니 순례길을 걸어 완주했다는 사실이 더 다가왔다. 밖으로 나오니, 성당으로 들어가려는 사람들 행렬이 건너편 골목까지 길게 이어져 있다.

우리는 산티아고에서 4박 5일 머물기로 했다. 내일은 묵시아와 피스테라에 가려고 성당 근처 여행사에서 투어를 예약하고 호텔로 돌아와 쉬었다. 마음 편하고 홀가분하다.

향을 피운 보타푸메이로가 그네를 타자 성당은 감동의 도가니가 되었다.

끝맺는 말

미사 본 다음 날 묵시아와 피스테라 투어도 잘 다녀왔다. 그리고 우리는 여행자가 되어 느긋하게 산티아고 데 콤포스텔라를 구경했다. 이어서 포르투갈의 포르투, 리스본, 신트라, 모로코 마라케시와 사하라 사막, 프랑스 파리까지 여행을 무사히 마치고 집으로 돌아왔다.

순례길에서 나를 괴롭혔던 등산화는 끈을 절반 정도 묶고 걸으면 통증이 덜 해져 그런대로 걸을 만했지만, 산티아고에 도착하면 바로 버리겠다고 내내 별렀다. 그런데 언제부터 등산화가 누르던 발목 통증이 사라졌다. 통증이 생긴 이유도 괜찮아진 이유도 모른다. 내가 느끼던 고통이 진짜였나? 하는 생각까지 든다. 버리려던 등산화는 한국까지 모셔 왔고 얼마 전 도봉산도 올랐다. 늘 합리적인 이유와 논리를 찾아야 직성이 풀렸는데 한 대 맞은 것 같다. 너무 이유 따지지 말고 세상 살기로 했다.

순례 후 나는 뿌듯함을 넘어 조금 담대해지고 자신감도 생긴 것 같다. 내 경험을 넘어서는 거대한 자연을 보며 걷고, 최대한 단순했던 생활에 찌질했던 마음이 조금 치유된 것 같다. 그래서 그렇게 많은 사람이 산티아고 순례길을 걷는가 보다.

순례길에서 시간이 흐를수록 지치며 예민해졌던 남편도 집으로 돌아와 시간이 지나자 원래 모습으로 돌아왔다. 하지만 무릎 통증은 여전한 것 같다. 요즘은 남편 나이가 나보다 많다는 사실을 자주 실감한다. 우리 마음과 다르게 몸은 종착역을 향해 꾸준히 나아간다. 더 나이 들기 전에 산티아고 순례길을 걸어서 다행이다.

산티아고 순례길에서 돌아온 후 은퇴자의 생활이 본격적으로 시작되었다. 친구는 내가 순례하는 동안 올린 블로그 글에 그림을 그려 책으로 만들어보라고 제안했다. 글을 다듬고 그림을 그려 브런치 스토리에 올리고 책으로 엮었다.

자연스레 내 은퇴 후 생활은 여행, 글쓰기와 그림 그리기로 압축되고 이 책은 첫 결실이다. 이제 책임감 내려놓고 하고 싶은 것 하면서 진짜 삶을 살아 보기로 했다.

이 책의 지면을 빌어 산티아고 순례길을 함께 가자고 말해준 남편에게 고마움을 전한다. 산티아고 순례는 내 인생의 전환점이 되었다. 또 사회인으로 제자리를 잡은 아들 민수, 딸 민주도 고맙다. 덕분에 편한 마음으로 순례를 떠날 수 있었다.

순례 준비에 '까미노의 친구들 연합(까친연)'이라는 카페에서 여러 정보와 도움을 받았다. 카페지기와 다양한 정보를 사심 없이 나누어 준 여러 회원들께도 고마움을 전한다.